Aux sentiers des sources

Sandie Bony & Karine Guarino

Aux sentiers des sources

Roman

LE LYS BLEU
ÉDITIONS

Tic-tac, tic-tac. Vous reconnaissez ce bruit que l'on entend au fond de notre oreille ?

Celui qui se fait silencieux même lorsqu'on la regarde. J'aime la voir bouger. La voir tourner. Presque tout le monde en possède une sans vraiment y porter attention. Certains la regardent une ou deux fois par jour, d'autres toutes les cinq minutes, sans vraiment la voir.

J'aime l'approcher de mon oreille et l'écouter. Tic-tac, tic-tac, ce petit bruit aussi régulier soit-il, me rappelle le temps qui passe et qui m'appartient.

Ma montre indique 16 h 25. Encore cinq tours de cadrans et ma journée d'école sera finie. Ce soir c'est le week-end. Je vais pouvoir traîner sur le chemin du retour. Pas besoin de rentrer vite, pour vite goûter, vite se doucher pour vite dîner et vite se coucher.

J'aime les vendredis. Ils sont doux et pleins de promesses.

16 h 28, je commence à ranger discrètement mes stylos dans ma trousse sans que la maîtresse s'en aperçoive. Je souris, acquiesçant à ses explications de dernières minutes pour les devoirs du week-end.

16 h 30, la sonnerie retentit dans toute l'école. Je saute de ma chaise, prête à franchir, la première, le portail de l'école.

Depuis à peu près 267 840 tours de cadrans, c'est-à-dire environ 6 mois, ma famille de cœur m'autorise à rentrer seule de l'école. Normal, je suis une grande maintenant, j'ai 7 ans !

J'habite un petit hameau. Le hameau du sentier des sources est bordé d'une jolie rivière qui se jette dans le lac un peu plus loin. Il faut y vivre pour le croire, mais le hameau est sympathique à y vivre. C'est vrai que le soleil d'hiver ne s'y attarde pas trop, mais il a l'avantage de ressembler à une jolie crèche vivante. L'automne, le soir tombant, on peut y voir flotter les lumières aux fenêtres des quelques habitations et autres fermes parsemées dans les plaines.

J'adore en toutes saisons m'y promener et sentir les odeurs de foin fraîchement coupé ou des bêtes réfugiées dans les écuries.

Ce soir, la fraîcheur des premiers soirs d'hiver me surprend. Je décide de couper par le petit chemin qui borde le lac des sources. J'aime m'y attarder pour donner aux canards le reste du pain de la cantine.

Les couleurs des feuillus se reflètent dans le lac. Pas une fin d'après-midi n'est la même. Tantôt vert canard, tantôt orageux et brumeux, selon l'humeur de mère Nature, le lac reflète son âme par écho.

Ce vendredi, le temps me presse de rentrer à la maison. Le lac sombre, les canards aux abonnés absents. Je disperse mes bouts de pain tel le Petit Poucet qui sème sur son passage pour retrouver son chemin. Mes bottes de pluie roses à petits pois pressent le pas dans un craquement de feuille croustillant. Évitant une goutte de pluie par ci, un flocon de neige par-là, je m'imagine déjà demain, le lac silencieux sous son manteau blanc, la neige faisant office d'acouphène, me laissant pantelante face à ce paysage mystérieux.

Je ne l'ai jamais vu, ce paysage.

Le lendemain, les gros titres des journaux annonçaient :

« Massacre aux sentiers des sources, une famille dévastée. »

1

Grambois, Luberon

Aujourd'hui c'est mardi, et comme tous les mardis, je commence par la maison des Arnaud, enfin au fil du temps, c'est devenu la maison de Marc et Myriam, mais pour moi dans mon agenda, ça reste la maison des Arnaud.

Je m'appelle Dolorès, je fais les ménages dans le village. Chaque semaine, je fais ma petite tournée et le mardi je fais celle des Arnaud. Je suis née au pays comme on dit, mes parents sont des immigrés espagnols mais moi je suis née à Grambois. Je connais tout le monde, et par mon travail je les connais encore mieux, car comment vous dire, sans être curieuse ni indiscrète, quand on vient faire le ménage chez des gens, on rentre forcément dans leur intimité.

Je ne suis pas vraiment curieuse, je respecte la vie privée de chacun, mais je suis sensible et j'ai beaucoup d'empathie, j'aime les gens chez qui je travaille, et quand vous avez ce ressenti, vous en apprenez beaucoup sur eux, mais je ne dis rien, je ne raconte rien, tout ce que je ressens et apprends je le garde pour moi. En ce moment, dans cette maison, aussi charmante soit-elle, il plane de mauvaises ondes.

J'avance sur la petite rue qui longe le village, l'Arnaude de son vrai nom de maison ressemble à un cottage anglais, je ne suis jamais allée en Angleterre mais c'est comme ça que je les vois. Une petite barrière protège un jardinet juste devant l'entrée. On entre par la porte de la cuisine, une large porte toute vitrée. Quand j'arrive, je remarque immédiatement que Myriam est déjà partie, sa Twingo n'est plus garée et je ne vois pas de lumière. Je préfère, même si j'adore Myriam, j'aime mieux faire mon travail seule. Et puis en ce moment, ça ne va pas fort, alors je me fais discrète. Ces derniers temps, j'essaie même d'être un peu en retard pour éviter de l'embarrasser.

D'un pas alerte, je pousse le portillon qui couine un peu sur ses gongs, je traverse les quelques mètres d'herbes folles qui me chatouillent les mollets, on voit qu'il y a du laisser-aller, c'est bientôt plus d'un jardinier que d'une femme de ménage dont il y aura besoin.

Je récupère la clé derrière le pot de capucines et la glisse dans la serrure. Instant particulier j'entre chez les gens, et j'en ai le droit, je me sens un peu une âme de voleuse mais moi j'en ai le droit et je vais cueillir un peu de leur intimité.

La maison est silencieuse. Quand on entre dans la cuisine on est saisi par l'atmosphère, cette pièce est l'âme de cette maison, elle sent bon la gourmandise, je ressens toujours l'envie irrépressible de me poser un instant, je ne me le suis jamais autorisé. Sauf que depuis quelque temps, je m'assois toujours un moment, comme pour entrer en communion avec leur peine, car cette famille est dans un bien grand malheur, ça se sait, ça se dit, mais quel malheur ? Ça, on ne le sait pas vraiment. Vous savez dans les petits villages quand il se passe un évènement grave, une chape de silence s'installe et on ne sait jamais vraiment ce qu'il s'est passé.

En tout cas, c'est bien de malheur qu'il s'agit.

Avant je venais faire le ménage deux fois par semaine, mais avant il y avait leur fille et je m'occupais aussi du linge, Myriam avait son travail d'assistante maternelle et elle tenait les comptes de l'entreprise de son mari. Avant ils recevaient beaucoup mais ça c'était avant. Quand leur fille est partie, tout a commencé à changer, le parfum de bonheur qui régnait ici s'est estompé petit à petit.

Il y a environ six mois, il s'est passé quelque chose de grave, on a vu venir les gendarmes, des gens que l'on n'avait jamais vus au village, et puis Marc est tombé malade, il a eu un cancer foudroyant, en deux mois il a été emporté. Et maintenant, Myriam se bat avec ses malheurs. Pour se battre, elle se bat, ça je peux vous le dire car dans la maison, elle maintient l'ambiance. Une fois après le décès de son mari, je lui ai demandé si elle aurait encore besoin de moi.

— Oui, oui, on ne change rien. Tu sais, Dolorès, la vie, il faut la regarder bien droit dans les yeux si tu veux gagner la partie et je ne me cacherais jamais derrière des lunettes noires.

C'est à cet échange que je pense... en ce moment de communion que je m'autorise. Je me suis assise à son petit bureau, je m'adosse à son fauteuil me demandant comment elle trouve cette force, mon regard de femme de ménage découvre à mes pieds une corbeille et je me dis : « Tiens ! Je n'avais jamais vu qu'il y avait une poubelle à papiers là ! » Je me baisse pour la récupérer et aller la vider mais mon geste reste en suspens. C'est une corbeille, en effet, mais elle est pleine d'enveloppes. Délicatement, je les écarte les unes des autres, il y en a beaucoup, elles ont toutes un très joli dessin dessus. Je suis vraiment tentée de regarder de plus prêt mais une crainte subite me fait me lever de là, je suis en train de passer la frontière de l'indélicatesse et c'est mal.

J'aperçois alors sur l'écritoire une enveloppe encore avec un joli dessin, un petit oiseau tout déplumé, ne résistant pas à la curiosité je prends l'enveloppe, elle n'est pas cachetée, une feuille y est glissée à moitié.

Je dois perdre la tête mais mes mains ne m'appartiennent plus, je tire la feuille.

Mon trésor, aujourd'hui je suis venue te voir...

Je repliai la feuille et la glissai délicatement comme je l'y avais trouvé. Je fis mon travail et remis la clé derrière le pot de capucines.

Ma dépendance avait commencé.

2

Clinique Saint-Saturnin

— Comment vous appelez-vous ?

— Lola Rys, j'ai 7 ans. Je suis en CE1. Cela fait une heure que vous me posez les mêmes questions. Je peux savoir ce que je fais ici ? Où est ma maman ? Je veux ma maman !

Une femme, brune, élancée, me regarde avec des yeux remplis d'interrogations et de suspicions. Je lis Rosy, psychiatre sur sa blouse blanche. Ma tête bourdonne. Je ne comprends pas ce que je fais là. Elle recommence : « Je vous demande de me répéter votre nom car vous ne me donnez pas le bon ». Elle m'énerve. L'horloge derrière elle, tic-tac, tic-tac. 11 h 30, j'ai faim, j'ai soif.

— Je suis Lola Rys, je suis en CE1, j'aime me promener dans les bois, donner à manger aux canards près du lac de la maison et jouer avec mes copines.

Rosy se lève, se pose près de moi contre son bureau. Mon cerveau hurle, je la connais ! Mais je ne me souviens pas. J'ai soif, j'aperçois le verre d'eau face à moi sur le bureau, je tends la main pour l'attraper mais mon poignet reçoit un choc. C'est alors que je remarque que mes mains sont nouées aux accoudoirs de la chaise sur laquelle je suis assise. Elles sont grandes. Bien trop grandes pour mon âge. Et cette bague à l'annulaire, je n'ai jamais mis de bague, je n'aime pas ça !

13

Rosy perçoit l'effet de surprise dans mon regard. Elle s'agenouille à côté de moi, comme on le fait pour expliquer quelque chose à un enfant.

— Vous êtes Lola Arnaud, vous avez 30 ans et êtes à la clinique psychiatrique Saint-Saturnin. Vous vous rappelez ?

Tic-tac, tic-tac. Je bouge ma tête d'avant en arrière pour essayer de faire revenir. Revenir quoi, je ne sais pas.

— Ce n'est pas grave, Lola, me dit Rosy. La séance est terminée pour aujourd'hui. Essayez de vous reposer, je vous trouve fatiguée.

Je ne réponds pas. C'est un cauchemar, je vais me réveiller dans ma chambre. Les mains attachées ne pouvant pas me pincer comme on le fait pour voir si ce qui se passe est réel, je me mords la langue d'un grand coup de dent. ARH ! Une voix hurle de souffrance, ma voix. J'ai du sang plein la bouche. La langue battant la chamade de douleur.

Rosy appelle à l'aide, des infirmiers arrivent. J'essaie de m'échapper, je vois l'aiguille, tic-tac, tic-tac et puis plus rien. Mais j'entends Rosy :

— Elle a fait un déni d'identité, j'ai voulu l'y confronter, elle ne l'a pas supporté. Mettez-la en chambre d'isolement et appelez-moi à son réveil.

L'aiguille m'empêche de bouger. « Maman ! Où est ma maman ? » Je ne peux pas crier, je ne peux plus me déplacer. Je suis telle une bête sur qui on s'acharne pour lui faire faire un numéro de cirque qu'elle ne voudrait pas. Je me sens seule, abandonnée. Pourquoi ai-je l'impression de déjà connaître cette sensation ? Je sens que le liquide commence à engourdir ma tête. Je résiste. « Non ! Laissez-moi rester ! » Ça m'emporte. « Maman, viens me chercher ! » Je n'y arrive plus, je me sens partir mais je sais que je reviendrai.

LE NOIR. Je ne peux ni bouger ni parler. Je suis prisonnière de mon corps, alors je m'imagine, en haut sur le mât d'un bateau. Ça y est je l'entends le vent souffler dans mes oreilles, je sens mes cheveux virevolter dans les airs. Je suis libre, face à cet horizon qui s'offre à moi. Le bateau transperce les vagues tel un cheval qui franchit les sauts d'obstacles sur son parcours. Cela devient si réel, je sens les embruns mouiller ma peau, l'iode à plein nez, le soleil me picoter. Mais d'un bond, le soleil s'assombrit. La mer émeraude devient carbone. Et vous êtes là, mes amours, pris dans un tourbillon d'algues, elles vous aspirent vers le fond. Et moi je suis coincée, accrochée au mât du bateau je ne peux venir vous sauver, vous disparaissez. C'est LE NOIR.

Tic-tac, tic-tac, CLAC ! J'ouvre les yeux. Je comprends tout de suite qu'elle a dû faire une connerie pour être en chambre d'isolement. Ma bouche est pâteuse, aïe… J'essaie de bouger ma langue toute boursouflée. J'ai l'impression d'avoir une éponge sèche et gonflée dans la bouche. Je perçois une certaine agitation dans le couloir. La porte de la chambre s'ouvre. Ah ! Elle est là. Mes yeux faisant l'état des lieux de son visage, petit nez retroussé, bouche rondelette et yeux perçants, son corps s'avançant vers moi, je suis rassurée, elle n'a pas l'air de lui avoir fait de mal. Elle me regarde avec douceur, je connais la question qu'elle va me poser. Je ne lui en laisse pas le temps.

— Je suis Lola Arnaud, j'ai 30 ans et suis à la clinique Saint-Saturnin.

Rosy me sourit, satisfaite de ma réponse.

3
Grambois

Assise sur le petit banc dans la cour de l'école, je tends mon visage vers le soleil, je ferme un peu mes yeux éblouis, les cris des enfants résonnant dans mes oreilles, je m'offre un peu de répits...

Après chaque journée éprouvante, il me tarde ces moments. Que deviendrais-je sans tous mes petits ? Mes journées passées auprès d'eux me requinquent et me donnent l'énergie dont j'ai besoin.

Je les écoute piailler, les surveillant du coin de l'œil. Il y en a toujours un pour m'appeler :

— Tata Myriam, regarde ce que je fais !

— Tata, Jérémie m'embête !

— Tata, je veux faire pipi.

Et comme c'est bon, je me sens vivre, exister encore dans cette vie où tout m'échappe.

C'est grâce à eux que je tiens.

Je m'appelle Myriam, j'ai 55 ans, je suis petite, un peu boulotte, les cheveux bouclés et roux. Tout le monde dit que j'ai un visage mutin des yeux rieurs et que je suis un rayon de soleil. C'est vrai que j'ai toujours le sourire mais chez moi c'est une habitude, et tout compte fait, c'est peut-être une force car au moins les gens ne me tournent pas le dos et ne jugent rien non plus.

Vous avez tout compris déjà, vous êtes perspicaces, je suis comme un clown, rieuse de l'extérieur, écorchée de l'intérieur.

Je suis Myriam Arnaud, la veuve de Marc, la mère de Lola.

Marc et moi sommes venus nous installer à Grambois il y a une trentaine d'années. Nous sommes originaires de Haute-Savoie. Nous étions du même village, on a grandi ensemble, nous nous étions promis l'un l'autre sur les bancs de l'école et quand Marc est revenu du service militaire, on s'est mariés.

On a vécu quelques années auprès de nos familles et c'est devenu vite compliqué. Sans trop réfléchir nous sommes descendus dans le Sud comme d'autres seraient partis dans une île.

Nous avons fui tourments quotidiens, colères, déceptions, et puis nous avions des choix à faire et nous voulions être ni influencés ni jugés.

C'est ainsi que nous avons atterri à Grambois. Nous nous sommes rapidement construit une vie sympathique dans ce petit village du Luberon. Vite introduits, vite appréciés. Marc, très bon maçon, a créé son entreprise, et son caractère jovial et sincère lui a amené de nombreux amis. Moi j'ai aussi fait ma place mais auprès des enfants, je suis assistante maternelle, j'ai trouvé ma vocation, c'était une évidence pour moi, les adultes m'apeurent un peu, je préfère la naïveté et la sincérité des petits. Et puis moi des enfants si j'avais pu j'en aurais eu au moins… cinq allez.

Nous on a eu notre princesse, et tant pis pour les cinq, Lola nous a comblés.

Trente ans pour construire le bonheur et quelques mois pour le détruire.

Lola est devenue folle.

Marc est mort.

Et moi.

Moi ?

Moi j'ai peur de comprendre, de savoir.

Je suis furieuse contre Marc qui m'a abandonnée, il n'a pas supporté la honte, le remords, lui le courageux, il m'a lâchée, n'a pas supporté ce drame. Il s'est construit la maladie pour qu'elle l'emporte loin de cette réalité insupportable et je suis seule pour affronter cette démence.

Je suis révoltée contre ma fille qui m'échappe. Ma beauté, ma princesse qui s'enferme dans une tour de silence et ne me reconnaît plus.

Je suis en colère, une colère sourde qui fait bourdonner la tête, une colère violente qui vous brûle.

La sonnerie de la récréation me sort de ma noirceur et les petits bouts qui arrivent en courant me bousculant au passage me reconnectent avec la vie.

Encore quarante-cinq minutes de douceur et je retourne à la maison. J'en ai déjà mal au ventre.

Deux heures plus tard, me voilà devant ma maison, je gare ma Twingo dans le petit renfoncement. Sortie de l'école, j'ai fait un tour par la grande surface afin de passer encore un peu de temps dehors.

Pourtant même si je redoute de rentrer dans une maison vide, jamais je n'envisagerai de partir d'ici, mon âme y est lovée. C'est Marc qui l'a retapée pour notre famille avec ses mains d'or, pas très grande, juste deux chambres à l'étage et au rez-de-chaussée un grand salon très cocooning et une cuisine. Ma cuisine où l'on partage tous les repas, spacieuse, à l'ancienne, table dé aux dimensions généreuses avec deux bancs pas très confortables, mais nous leur trouvions un petit côté juvénile et puis nous recevions beaucoup à l'époque ça nous permettait de nous entasser et de mélanger nos amitiés et nos rigolades. Quand nous avons emménagé, Marco m'avait fait la surprise d'installer une cuisinière, La Cornue vert bouteille, il savait que j'en rêvais. Elle trône majestueusement sur la face principale de la cuisine.

Non c'est sûr, je ne partirai jamais d'ici, j'ai décoré et redessiné trait par trait chaque pièce. Cette maison colle à ma façon de vivre et même si ma vie s'est transformée en cauchemar et qui j'y rentre à reculons une fois l'appréhension passée, j'y retrouve la paix !

Il me faut pourtant à chaque fois appliquer mon rituel, le rituel que je me suis imposé. Une fois la clé glissée dans la serrure, les automatismes salvateurs s'enchaînent : mettre la bouilloire à chauffer sur la cuisinière, me couler dix bonnes minutes sous une douche bouillante, m'enrouler dans une grande serviette chaude et parfumée, retourner encore humide empaquetée de douceur dans la cuisine, me préparer une infusion de verveine citron de mon jardin sucrée au miel, la siroter les mains enroulées autour de mon bol fétiche, bien calée dans mon petit fauteuil. Et voilà, non pas voilà, je ne suis pas encore apaisée. Encore le plus important, le plus symbolique peut-être aussi. Je m'installe à mon écritoire, prends une enveloppe de papier crème, choisis et crayonne le petit dessin que la journée a ébauché dans ma tête, et écris mon message à Lola.

C'est là, une fois ma lettre terminée, que je me sens en paix, j'en fais mon devoir, ma part vers la sortie du tunnel.

Une fois mon courrier symbolique posé dans la corbeille, comme une bouteille à la mer, je peux enfin passer la soirée en paix.

4

Clinique Saint-Saturnin

Aujourd'hui, c'est le jour des visites. Cela fait 15 552 000 secondes que je l'attends. 15 552 000 secondes, 6 mois. J'ai cette manie depuis quelque temps de compter. Compter les heures, les jours, les mois en secondes. Tic-tac, tic-tac, et ce bruit continu dans ma tête qui me rend dingue. Mais je ne le suis pas, folle je veux dire. Les docteurs, les psychiatres parlent de moi comme d'une personne atteinte de désordre mental. Ce n'est pas vrai, je ne suis pas folle, ce que j'entends est bien réel. Ça dérange, bouleverse les gens dans leur petit confort, secret bien gardé qu'il ne faut pas gratter et plutôt laisser s'estomper.

Ma propre mère pense que je suis tarée. Elle me l'a jeté au visage lorsque je lui ai demandé si elle ne me cachait pas quelque chose sur ma naissance, une sœur jumelle décédée dont on m'aurait caché son existence, sa mort.

Ma pauvre fille, tu es folle, m'a-t-elle dit.

C'était il y a 31 104 000 secondes, 1 an, j'essayais encore de trouver des raisons rationnelles à mes migraines, je vais appeler ça comme ça. Je ne sais pas si j'allais mieux ou moins bien qu'aujourd'hui. Tout ce que je sais c'est qu'elle me parlait déjà. J'ai passé IRM, scanner, examen en tous genres. Les spécialistes parlaient d'acouphènes, je leur parlais de voix, ils ont pris peur, m'ont placé dans la case schizophrène et j'ai atterri ici.

Au début, je n'arrivais pas à contrôler ses arrivées. Elle prenait le contrôle de ma tête, mon corps, sans que je ne le sente survenir, sans que je ne puisse ni faire ni comprendre quoi que ce soit. Au départ, j'ai cru que c'était Lucile ma petite belle-fille. Qu'elle revenait pour se venger, dire la vérité. Mais je me suis vite rendu compte que ce n'était pas elle. Elle me parle de souvenirs que personne d'autre que moi ne connaît. Elle dit être moi. D'où cette question à ma mère. D'après mes recherches, la mort cachée d'un jumeau peut susciter chez le survivant un sentiment de culpabilité avec parfois un besoin d'éprouver la survie pour se sentir vivant. Cela me semblait une explication des plus censée pour justifier mes troubles et mes envies suicidaires dans ma jeunesse. Eh bien non, pas pour ma mère. Depuis, je ne l'ai d'ailleurs plus revue, mais à chaque date des visites j'ai l'espoir de la revoir.

Peut-être qu'aujourd'hui elle viendra ? Je sais et comprends la honte, la haine que je peux lui infliger. Malgré tous mes efforts, les cachets avec lesquels on m'assomme pour contrôler mes troubles d'identités m'empêchent d'avoir une prestance, une démarche, une posture, une attitude normale. Je suis enfermée dans un corps qui ne m'appartient plus. Je dois prendre tous ces médicaments pour moi et les protéger selon eux. Suis-je si dangereuse ?

Tic-tac, tic-tac, je sens qu'elle veut prendre le dessus mais je la repousse.

« Non ! Pas aujourd'hui ! » dis-je tout haut.

Rosy arrive à ce moment-là et me demande étonnée sachant très bien que j'attends les jours de visite :

« Vous ne voulez pas sortir ? »

Tic-tac, tic-tac, elle arrive et cette fois-ci c'est elle qui me repousse.

« Si, je veux voir maman ! »

Rosy sourit, elle n'a pas saisi le changement. Les infirmiers arrivent pour la promenade pendant laquelle on va voir les familles, juste les voir et si cela se passe bien leur parler peut-être.

Elle ne l'a pas reconnue, je ne comprends pas. Elle est passée à côté d'elle, sans un geste ni regard. Elle était obnubilée par te voir maman et elle ne t'a pas reconnue. Pourtant malgré la douleur et les dures épreuves tu n'as pas changé. Je t'aurais reconnue entre mille. Assise sur le banc, ta petite robe à fleurs qui me rappelle les doux printemps passés à tes côtés. J'aurais aimé m'asseoir auprès de toi, me laisser engloutir par tes bras. Trop d'émotions. Elle n'a pas supporté. Elle ne t'a pas vu. Je ne comprends pas. Malgré moi, elle s'est mise à taper des pieds en chuchotant je veux ma maman, vous m'avez promis que je verrais ma maman. J'ai essayé, j'ai crié : « Elle est là ! » Elle m'a entendu. Je le sais parce qu'elle s'est mise à tourner à s'agiter dans tous les sens ; le regard perçant, elle l'a passé sur toi sans un temps d'arrêt et puis pleine de détresse elle s'est mise à m'insulter : « Pauvre idiote, naïve, ils t'ont menti ! Elle n'est pas là maman ! »

Je savais qu'il ne fallait pas qu'elle s'agace et s'excite de trop. Les infirmiers ne prendraient pas de risque et je voulais te parler même avec elle. Mes paroles bienveillantes n'ayant aucun résultat sur elle. La panique, l'anxiété et l'agressivité prirent le dessus. Je n'ai fait que passer devant toi maman. Mais à cause d'elle ou de moi, je ne sais plus trop, je n'ai pas pu te dire ce que j'ai fait. Je crois que je suis en train de me perdre et j'ai peur de ne plus retrouver le chemin. Il m'est impossible de faire semblant. Cette petite fille aussi perdue que moi est bien là, en moi. Elle me dit, me rappelle des souvenirs d'enfance qui sont les miens mais que je ne reconnais pas et d'autres qui me terrorisent. Elle me dit que je suis une bête folle, mais pourquoi ? Ce que j'ai fait ce n'est pas ma faute, c'est la faute à pas de chance. Mais elle me dit que je suis coupable, elle est mauvaise.

5

Grambois

Pour Dolorès, cette semaine est passée avec une lenteur inhabituelle. Bien que routinier, son rythme de travail ne lui a jamais pesé. Sa dernière visite à l'Arnaude l'a bouleversée. Elle si tranquille dans sa petite vie de femme de ménage est bizarrement tourneboulée. Elle est tellement curieuse.

Myriam et Marc Arnaud vous pensez, tellement connus dans le village mais finalement avec plein de mystère. À bien y réfléchir on ne sait pas vraiment d'où ils viennent et puis tous ces évènements qui se bousculent, quels sont-ils ?

Mardi, mercredi, jeudi et même dimanche, elle n'a cessé de penser à la lettre, et surtout à ce panier de lettres.

Qu'est-ce qu'il se cache là-dedans et qu'est-ce qu'elle a à sa portée ?

Sûrement des informations qui pourraient la renseigner sur ce qu'il leur est arrivé.

Pas un jour sans qu'elle se soit fait la morale, elle n'a pas le droit de fouiller dans la vie des gens.

Pourtant les petites enveloppes n'ont cessé de danser devant ses yeux.

Plusieurs fois, elle est passée sur la route devant le cottage, elle a même été tentée d'y entrer car une chose la taraude, est-ce que les autres enveloppes sont cachetées ?

Si c'est le cas, l'aventure est terminée.

Si ce n'est pas le cas, c'est une violation de la vie privée.

Mais si elles ne sont pas cachetées alors peut-être que ça lui permettrait de comprendre. Bien sûr, elle ne dira rien mais elle pourra peut-être aider Myriam.

Tout le village l'aime bien et est triste de ne pouvoir lui apporter du soutien, elle s'est construit une tour d'ivoire, et si elle Dolorès devenait sa petite fée ?

Voilà ce qu'elle a ressassé toute la semaine.

Aujourd'hui, c'est ménage à l'Arnaude, elle s'y rend d'un pas fébrile et impatient.

Sa main se glisse derrière les capucines, elle glisse la clé dans la serrure, et pénètre dans la cuisine, refermant rapidement derrière elle, un sentiment de voleuse dans le ventre.

La maison est silencieuse, il traîne une légère odeur de café, il y fait tiède, il y fait bon. La table est en désordre, le bol du petit-déjeuner est resté sur la longue table, entouré de miettes de biscottes. Myriam n'a rien rangé, elle sait que c'est le jour de Dolorès. Dans la chambre aussi un léger désordre règne, comme pour justifier son passage. Un dialogue muet s'est instauré entre elles, elles n'ont jamais été amies, non, même pas copines, elles se voyaient souvent avant, Dolorès partageait un peu leur quotidien, elle les voyait un peu vivre alors qu'elle vaquait à ses occupations. Myriam a récemment changé le jour de ménage, elles se voient rarement désormais. Paradoxalement, Dolorès entre plus dans l'intimité quand elle est seule.

Le ménage est vite fait et rapidement elle se retrouve devant l'écritoire. Un simple coup d'œil la rassure, la corbeille est à la même place. Les enveloppes ont été un peu rangées, rien ne traîne sur le bureau, rien à surprendre, il va falloir forcer la main. La corbeille se retrouve sur ses genoux et fébrilement ses doigts glissent entre les enveloppes, elle en tire une au hasard et la retourne pour vérifier si le rabat est collé.

Prudemment, elle glisse son ongle, un sourire s'étire sur ses lèvres, la chance est avec elle.

Elle en vérifie quelques-unes délicatement, ses yeux pétillent, quelle horreur ! Elle se met les mains sur les joues, mais qu'est-ce qu'elle est contente ! Elle va découvrir ce qui se cache et elle se jure de n'en faire que du bien, ça sera son secret.

Sa main est devenue sûre, elle en choisit une au hasard.

« *Aujourd'hui, premier entretien.*

Nous sommes partis de la maison avec papa vers 9 heures. Nous sommes restés silencieux durant tout le trajet, c'est une grosse épreuve pour nous. Ils nous ont convoqués comme on nous l'avait annoncé. Cela devait bien arriver.

On est le 12 avril, c'est mon anniversaire, un signe, je me dis que ça va aller alors.

Hier soir, nous nous sommes disputés, nous n'avons pas la même approche de la situation. Papa veut tout leur raconter moi je ne vois pas l'intérêt. Et puis ça veut dire quoi tout leur raconter. Il nous suffit de répondre à leurs questions, pour le reste nous sommes une famille équilibrée et nous parviendrons à t'aider dès qu'ils nous laisseront la possibilité de te voir.

Nous avons été accueillis à notre arrivée par un monsieur qui nous a expliqué que l'équipe thérapeutique nous recevrait séparément. Ils seront trois, deux hommes et une femme.

Papa avait la mine déconfite, nous nous sommes installés dans la salle d'attente, il a juste desserré les dents pour me dire qu'il y allait en premier.

Je ne sais pas ce qu'ils ont échangé avec papa, il ne m'a rien raconté, il s'est enfermé dans un mutisme qui m'impressionne, il m'a juste dit : "Je savais que ça finirait mal tout ça."

Voilà pour moi comment cela s'est passé :

Le plus âgé des hommes a pris la parole, c'est un homme d'une quarantaine d'années, grand mince, le regard assez doux mais le ton et la voix sont incisifs pas le genre à tourner autour du pot, la suite me donnera raison.

"Nous allons entrer directement dans le vif, madame, nous connaissons tous la situation, pas de temps à perdre. Vous êtes là en tant que maman."

Il aurait pu utiliser le mot mère, l'usage du "maman" me le rendit finalement plus sympathique.

— Les mamans ont souvent une relation privilégiée avec leur fille, alors dites-nous, est ce que votre enfant avait pour vous des signes de faiblesse mentale ? Une mère peut sentir cela, et même si elle n'en prend pas conscience immédiatement, un jour, le jour où quelque chose déraille, des souvenirs reviennent.

— Et vous, Myriam, quels souvenirs vous dérangent ?

— Myriam, pourquoi pas madame Arnaud, sympathique, oui, il sait mettre en confiance.

Je ne sais que vous dire, bien sûr, j'ai cherché avant que vous ne me le demandiez. Tous les psys disent : "Cherchez dans l'enfance, c'est là que tout se joue". Alors j'ai cherché l'erreur, il me semble que l'éducation qu'on lui a donné Marc et moi était correcte, les faits me poussent à être modeste, sinon je vous dirais qu'on lui a donné tout l'amour du monde et les armes pour devenir quelqu'un de bien dans la vie et dans ses bottes. Voyez comme le vocabulaire devient révélateur, on lui a donné les armes, et si je veux garder ma conscience intacte je vous dirais qu'après l'enfant en fait ce qu'il veut. Mais de conscience j'en ai une alors je me suis posé la question avant que vous ne me la posiez, Lola a été une fillette adorable peut-être un peu timide au début mais nous l'entourions d'un tel amour qu'elle est vite devenue épanouie et bien dans sa tête. Je pense que tout a commencé à changer l'année de son bac.

Je les ai sentis plus intéressés, comme en alerte, ils se sont sensiblement mieux adossés à leur chaise, j'ai vu la femme incliner sa tête, attentive à ce que j'allais raconter.

C'était un peu avant la fin de l'année scolaire, il y a eu une dernière conférence, il y en avait eu cinq en tout de programmées et c'était la dernière, elle portait sur la finance, le maître de conférences était suisse, cadre dans une société de placements à Lausanne. Cette rencontre a été déterminante dans la vie de Lola.

Au début, on entendit parler de monsieur Simon a dit ci, monsieur Simon a dit ça, monsieur Simon pense que.

Marc m'avait dit : "Je ne m'imaginais pas que le monde de la finance pourrait l'intéresser comme ça".

Monsieur Simon a continué à alimenter les conversations, et puis Lola a fini par parler de Simon…

Un samedi, nous étions attablés dans la cuisine, Lola se dandinant sur le banc nous a dit tout d'un trait :

— Demain, Simon est dans les parages pour une série de conférences dans les entreprises, je veux vous le présenter.

— Pourquoi pas lui dis-je sentant le regard appuyé de Marc, depuis qu'on en entend parler.

Le dimanche, nous n'avons pas rencontré le maître de conférences, non, notre enfant nous a présenté pas moins que son futur compagnon.

Marc est tombé d'un cinquième, moi je m'y attendais, intuition maternelle.

Nos certitudes se sont envolées avec cette rencontre.

Alors effectivement nous avons eu en face de nous une personne exquise, charismatique, mais déjà le double de son âge. Ensuite, tout était organisé, Lola passerait son bac comme prévu. Elle partirait le rejoindre en suisse et l'année prochaine elle continuerait ses études à Lausanne. C'était super. Simon avait deux jeunes enfants, ils habiteraient un grand chalet suisse, le rêve...

Pour nous, l'horreur, notre enfant se met avec quelqu'un qui a le double de son âge, deux enfants, part à cinq cents kilomètres de nous dans un autre pays... et n'a que dix-sept ans.

La femme a alors pris la parole :

"Votre fille n'était pas majeure vous auriez pu vous y opposer."

J'ai soulevé les épaules de l'air de dire, à quoi bon.

"Nous ne nous sommes pas rebellés, nous avons pris un uppercut. L'amour transpirait de ces deux êtres, et devant ça, si vous aimez votre enfant vous ne pouvez rien dire. Et quand je parle d'amour je devrais dire passion. Ces deux-là se couvaient des yeux. Je ne sais pas lequel des deux avait séduit l'autre. À ce moment-là, oubliez l'image que vous avez d'elle aujourd'hui, Lola était une jeune femme magnifique, grande, brune, des cheveux de jais, des yeux noisette bordés de longs cils qui la maquillaient naturellement, elle avait dans le regard une détermination farouche qui vous transperçait et qui surprenait depuis son enfance. Lola n'avait pas froid aux yeux elle affrontait les situations avec certitude.

Ni son père ni moi ne nous serions risqués à la contredire. Et puis il y avait ce Simon, un physique sans reproche BCBG, tenue parfaite, pas le genre de la famille. Cependant, il dégageait une douceur et une assurance qui ne pouvait que la séduire. Là, c'est la mère qui vous parle sous ses airs déterminés Lola était un papier de soie. Il la caressait du regard, Lola était devenue sa muse, comment une femme peut-elle résister à ce sentiment ?"

L'homme le plus âgé a repris la parole.

— Alors comment cela s'est passé ?

— Ho, on peut dire que tout s'est bien passé. Pour moi la mère, la femme, bien sûr je compris. Pour mon mari, ce fut autre chose, il leur dit quand même tout haut ce que je redoutais tout bas.

— C'est-à-dire ?

— Qu'elle était jeune, qu'il avait le double de son âge, qu'il lui mettait deux enfants dans les pattes et qu'il aurait espéré mieux pour Lola.

— Et après ?

— Tout se passa comme annoncé, et tout se passa bien.

— Vous avez dit au début que tout s'est dégradé à partir de là, je ne comprends pas, l'histoire de votre fille ne vous plaît peut-être pas en tant que parents, nous on n'y voit que du bonheur.

— Oui, en effet, au début je pense que leur vie fut idyllique entre eux, avec nous Simon eut beau tempérer les rapports entre Lola et son père, plus rien ne se passa comme avant, Marc avait eu des propos durs, jusqu'à lui reprocher de nous abandonner.

Ma fille l'a craint, je pense qu'à ce moment-là, il a fissuré toutes les certitudes que nous avions si bien sues lui inculquer. Elle s'est éloignée de nous et a formé son nouveau nid auprès de Simon. Comme le coucou, elle s'est installée.

Ma certitude de mère va vous dire que je l'ai sentie changer, et que sa vie m'a semblé fragile. Nous nous téléphonions souvent et je sentais sa voix vibrer entre rires et larmes.

Voilà c'est tout.

— C'est tout ce que vous avez à nous dire ?

— Oui.

— Rien sur sa petite enfance ?

— Non.

Ils n'ont pas semblé satisfaits de ma réponse.

— Très bien, je pense que nous serons amenés à nous revoir madame.

Voilà ce que j'ai raconté, Lola, c'est tout.

Papa est dans le salon, il boude toujours me reprochant ce "c'est tout", tu fuis les responsabilités, m'a-t-il dit.

Je ne veux que te protéger ma chérie, je t'ai aidé à naître, je t'aiderais à te reconstruire.

Maman »

Dolorès replace la lettre où elle l'a prise, il est temps pour elle de partir. Elle remet la clé derrière les capucines. La semaine va être longue, elle repart les sourcils un peu froncés. Qu'est-il arrivé à Lola ?

6

Clinique Saint-Saturnin

Sept heures, l'infirmière doit passer dans 30 minutes soit 1800 secondes. Elle va entrer, prendre ma tension, me demander :

« Comment va madame Arnaud aujourd'hui ? Elle a bien dormi ? »

Elle me parle comme à une demeurée, certes avec gentillesse mais avec un goût de miel avarié.

Lors d'une séance de thérapie, Rosy m'a proposé de faire des séances d'hypnose. Avant d'accepter, je dois être assez vive d'esprit. Ne plus prendre les cachets. Voilà ce que je dois faire. Jusqu'à présent, ils me shootent, ils m'ont fait des séances de sismothérapie, des électrochocs dans le cerveau dans quel but ? Me griller le cerveau pour être tranquille ? STOP ! J'en ai parlé avec elle toute la nuit, la petite est d'accord avec moi. Alors on va commencer par ne plus prendre leur drogue. Et on commence aujourd'hui.

7 h 35, elle a du retard. Toc-toc-toc, la porte s'entrouvre.

— Bonjour, comment va madame Arnaud aujourd'hui ? Elle a bien dormi ?

Je murmure :

— Bonjour, oui merci, dis-je encore dans le pâté.

Comment veux-tu que ça aille ? Je ne dors plus. Les nuits ici sont dignes d'un film d'horreur, ça crie, hurle à la mort toute la nuit. Et encore quand ce n'est que ça elles sont tranquilles, mais quand il y en a un qui se décide à venir dans ma chambre prêt à assouvir ses besoins de bête humaine, là c'est autre chose ! Alors dès ce soir, enfin à 19 h quand la dernière infirmière passera pour me donner ma pilule pour la nuit je ferai semblant. Il faut que je reste sur mes gardes, prête à bondir en cas de menaces, je ne peux plus dormir sous somnifères, je suis seule à pouvoir nous protéger.

De toute façon, la nuit je somnole entre sommeil, cauchemars, rêves ou réalité. J'essaie de réfléchir à une solution pour me sortir de cet enfer. Je me repentis, elle m'écoute sans me juger, après ce qu'elle a vécu, vue, elle seule peut me comprendre. Et ça me fait du bien.

L'infirmière me tend ses putains de comprimés avec le gobelet d'eau. Je le lui prends des mains. Elle attend que je les avale, ce que je fais en un seul coup et tire la langue, ah ! Pour preuve.

Dès la porte fermée sur son passage je cours aux toilettes, enfonce deux doigts au fond de ma gorge et les recrache dans un sursaut de convulsion. Assise par terre, adossée à la cuvette des W.C, le carrelage froid contre mes fesses, j'entends la petite me féliciter. Ça part de là !

7

Grambois, la maison des Arnaud

Sur son répondeur, le message est concis :

« Madame, je suis le docteur Rosy Rubis, c'est moi qui suis désormais votre fille Lola.

J'ai besoin de vous rencontrer rapidement, des décisions importantes sont à prendre. Désolée de rompre votre deuil mais votre fille, elle, est en vie et a besoin de vous.

Je souhaite vous rencontrer mercredi prochain à 9 heures, sans contre-ordre de votre part, je vous attends. »

Myriam déglutit avec peine, elle a toujours autant peur d'aller voir ces docteurs.

Sa dernière visite remonte déjà à un mois, elle a eu une mise en présence avec sa fille dans le jardin, Lola ne la reconnaît pas, ce jour-là ça s'est mal passé. Après un isolement total de quatre mois, ils ont réintroduit la relation au monde extérieur, ils l'ont appelé, lui ont expliqué qu'un jour de visite dans le parc était organisé pour les familles et qu'elle pouvait y venir mais qu'elle ne devait pas entrer en contact avec elle, trop dangereux encore, ils espéraient que sa présence là ferait sortir de sa torpeur, en tout cas c'était un essai.

Elle s'est rendue à trois rendez-vous familiaux, Lola ne l'a jamais reconnue, elle passe son regard vide sur les gens sans voir personne, elle a pris cette attitude bestiale d'humain perdu dans les ténèbres mentales. Pourtant à la dernière visite, il s'est passé quelque chose, Lola a fait une crise sous ses yeux. Myriam a été profondément choquée, elle a eu très peur, elle n'avait jamais vu sa fille en crise. Il a fallu que l'accompagnant infirmier la prenne assez brutalement par le bras pour la faire sortir du parc.

Depuis elle n'y est pas retournée. On ne lui a rien dit, on ne l'a pas rappelée.

Ces psychiatres sont trop occupés par les malades, ils ignorent totalement les familles. Elles sont censées aller bien, elles, tu parles, comme si on pouvait aller bien quand son enfant devient fou.

Voilà, ce que pense Myriam, merci quand même pour le deuil se dit-elle, bien qu'il soit tristement anecdotique dans la forêt qui peuple ses jours et ses nuits.

Le message du répondeur date de la semaine d'avant. Myriam se prépare suivant son rituel, son rituel du matin pour aborder les journées insipides avec un peu de soleil au fond des yeux.

Elle ne sera pas en retard, elle ne se défilera pas devant ses responsabilités, elle ne fera pas l'autruche comme Marc le lui reprochait. Elle ne supportait pas ce reproche, mais maintenant, elle se demande souvent s'il avait totalement tort.

Le trajet de quarante minutes passe dans le flou, comme souvent elle a la tête dans la brume les souvenirs tournent en boucle, les réflexions sont en tourbillon dans sa tête.

Elle reprend ses esprits en garant sa voiture sous les grands arbres qui ceinturent le grand bâtiment aux murs ocre. Ce lieu à l'accueil paisible contraste avec les tourments qui sévissent à l'intérieur. Une volée de marches bordée d'arbustes fleuris lui permet d'arriver à son rendez-vous paisible.

Elle est attendue, on l'accompagne immédiatement au bureau de Rosy Rubis.

Une femme de grande taille, regard direct, vient spontanément à sa rencontre, elle la reconnaît immédiatement, elle faisait partie du trio qui les avait rencontrés avec Marc.

Elle lui serre la main, la prenant entre les deux siennes, lui sourit. Cette femme a de l'empathie, ça la rassure, mais immédiatement elle ne s'appartient plus, le docteur avec douceur et fermeté mène la danse.

— Bon, je vais aller à l'essentiel, essayez de me répondre vite, j'aurais voulu vous rencontrer plus tôt mais la maladie et le décès si brutal de votre mari ont perturbé le déroulement de mon investigation de la maladie de Lola.

Voulez-vous me dire deux mots sur la disparition de votre mari ?

Un instant d'hésitation.

— Je vous ai dit que je ne voulais pas perdre de temps mais il est essentiel que je comprenne, donc je vais prendre le temps nécessaire pour cela. Je vous repose donc la question différemment, comment avez-vous vécu le décès de votre époux ?

Myriam se redresse sur sa chaise, elle est prête, l'autruche sort la tête, elle ne se défilera pas, elle ne s'est d'ailleurs jamais défilée, elle protège c'est tout.

— Je l'ai vécu comme une trahison, un abandon. Pour moi, Marc n'a pas eu la force d'aider Lola et d'affronter la réalité, il s'est protégé en développant ce cancer foudroyant.

— Très bien dit le docteur sans aucun commentaire.

— Expliquez-moi, Lola est mariée, comment se fait-il qu'elle ait été placée auprès de vous et pas de son époux ?

— Parce qu'ils traversaient une passe délicate et qu'elle était revenue chez nous, c'est chez nous qu'elle a eu cette crise qui l'a fait interner.

Simon pensait qu'elle avait besoin de se ressourcer auprès de nous, il n'allait pas fort lui non plus.

— Nous n'avons pas pu avoir le dossier médical de votre fille, votre docteur de famille n'est plus en fonction et nous n'avons pu entrer en contact avec lui. Mais la visite de Lola et les traces que l'on a vues à ses poignets prouvent qu'elle a fait au moins une tentative de suicide. Vous ne nous en avez pas parlé pourquoi ?

Une grimace timide et désolée passe sur le visage de Myriam

— Mauvais passage à l'adolescence, ça arrive souvent, elle s'était vite ressaisie.

Rosy ouvre de grands yeux.

— Non, madame, pas mauvais passage, un passage à l'acte n'est pas anodin, vous auriez dû nous en parler, d'ailleurs votre mari au premier entretien nous a laissés entendre que vous sous-estimiez les problèmes de Lola, les cachiez même, il n'avait pas l'air très raccord avec vous.

Pas de réponse.

— Bon on y reviendra, lorsque votre fille est partie vivre en Suisse, cela ne vous a pas fait plaisir, elle était mineure mais vous ne vous y êtes pas opposée, ça a un lien avec son adolescence ?

— Oui, elle était bien avec lui, heureuse on la retrouvait enfin, alors on l'a laissé partir. Sur ce point, Marc était d'accord avec moi, on pensait qu'elle pourrait retrouver son équilibre.

— Bon, votre fille souffre de dédoublement de personnalité, ce n'est pas anodin, à cela se rajoutent des actes d'une rare violence envers elle-même, qui nous obligent quelquefois à l'attacher. Elle dit dans ces moments-là s'appeler Lola Rys, cela vous dit quelque chose ?

Myriam dit non de la tête et soutient ne pas comprendre.

Le docteur regarde bien droit dans les yeux Myriam, se penche sur son bureau posant ses avant-bras bien à plat, tout son corps se tend vers elle, elle se soulève légèrement de sa chaise et lui lâche :

— Madame, vous me mentez, vous me cachez beaucoup de choses, c'est très mal. Elle se redresse un peu.

— Je vous donne quelques jours, réfléchissez bien, si vous aimez Lola, vous revenez et me racontez, si vous l'aimez bien sûr plus que vous ne portez d'intérêt à votre petite personne. Le rendez-vous est terminé, j'en espérais beaucoup plus. Avant que vous ne partiez, je vous annonce qu'à la suite des sismos, nous allons pratiquer de l'hypnose pour aider votre fille. Au revoir madame, à très bientôt, j'espère que quelques jours vous suffiront à trouver le courage, de quoi ? Vous me le direz peut-être, car je sais que c'est de courage dont vous avez besoin. Vous savez je suis docteur et femme et mère, mon intime conviction me dit que vous avez des choses à me raconter qui pourraient m'éviter de perdre du temps. Lola souffre et le temps est précieux. Au revoir.

***

Myriam s'en va à pas rapides, elle fuit. Elle est en colère, elle n'a rien dit. Encore. Elle est stupide, elle le sait. Les larmes lui brûlent les yeux. Une fois assise dans sa voiture, elle tambourine le volant. Putain, chienne de vie, elle va être obligée de leur dire. Ils avaient pourtant tout fait pour être une jolie famille.

Myriam est pressée de rentrer chez elle. Le rendez-vous avec cette Rosy la bouscule, de toute façon tous ces entretiens la bouleversent. Non pas qu'elle soit en contrôle. Non elle n'a pas besoin de se contrôler, elle a tellement verrouillé les choses dans sa tête. Mais cette Rosy sait jouer sur les cordes sensibles, peut-être parce qu'elle est une femme.

Chemin faisant, les souvenirs reviennent à la surface. Quand elle se gare devant chez elle, elle s'est décidée, Marc serait content, c'est ce qu'il veut depuis le début. Elle va dévoiler son secret, leur secret. Elle va aider ce docteur, pour Lola, en espérant que ça ne la détruise pas plus encore.

Elle secoue la tête inconsciemment, Lola est au bord du précipice alors un peu plus ou un peu moins… Elle fera le grand saut, plus rien ne sera jamais comme avant, mais n'est-ce déjà pas le cas.

Myriam se dirige vers sa maison, elle va téléphoner tout de suite au docteur et lui demander un entretien, elle a assez perdu de temps. Elle dira tout, mais est-ce que ce tout suffira ? Poussant le portillon du jardinet, elle remarque au travers de la fenêtre une petite lumière. A-t-elle oublié d'éteindre son coin bureau ? Intriguée, elle s'avance et jette un coup d'œil à travers le carreau en même temps qu'elle tend la main vers la poignée.

Son geste reste en suspens, Dolly est installée à son écritoire.

Elle la voit de dos et dans sa tête ça va vite : aujourd'hui on est mercredi ce n'est pas le jour du ménage, aujourd'hui on est mercredi je ne suis pas à la maison d'habitude je m'occupe du centre aéré. Dolorès ne fait pas le ménage elle est assise à mon bureau, non. Involontairement, ses mains se mettent devant sa bouche. Elle lit mes lettres. Elle étouffe un petit couinement. Non elle n'a pas le droit, la colère monte en elle, elle reste immobile pourtant. Elle a le temps de regarder Dolorès ouvrir et fermer plusieurs enveloppes.

Elle n'entrera pas, fera demi-tour, remontera dans sa Twingo et perdra son temps dans la galerie commerciale du coin.

C'est un jour bizarre, un jour où les choses changent, où la lumière se fait. Elle n'est plus seule, quelqu'un d'autre sait, Marco l'a aidé, elle en est convaincue. Sa décision est la bonne. Elle va apporter son aide à cette Rosy Rubis, elle remonte dans sa Twingo et reprend le chemin de l'hôpital.

8

Dolorès, maison des Arnaud

Dolorès n'a pas tenu la semaine. La corbeille d'enveloppes hante ses nuits et ses jours.

Ce matin, se rendant vers les gîtes du village, elle change de trajet et se retrouve devant l'Arnaude. Sans aucune hésitation, elle récupère la clé. Elle sait que Myriam travaille au centre aéré le mercredi et qu'elle ne rentrera que vers 17 heures, elle a du temps, elle se dépêchera après pour le ménage.

Cette famille, elle l'aime depuis le temps qu'elle travaille pour eux, des années. La petite devait avoir dix ans à peine, ils s'étaient installés au village trois ans auparavant. Elle venait de finir ses études mais avait voulu vivre au pays, ses études ne lui ouvrant aucune porte. Tu parles étudier l'agronomie pour trouver du travail dans le Luberon, elle s'était un peu trompée. Alors, avec tous les gîtes et le tourisme, elle avait trouvé son job, l'entretien et la mise en service des locations. La maison des Arnaud avec son ménage quotidien avait été gardée par affection. Pourtant si Dolorès est proche, elle ne se considère pas comme intime, c'est pour ça que les malheurs qui frappent Myriam, elle les voit s'écouler sans se sentir impliquée. La découverte de la corbeille a tout changé.

Elle n'a plus aucun scrupule, la curiosité la fait trembler d'impatience, elle s'installe à l'écritoire. Récupère la corbeille, il y a beaucoup d'enveloppes, laquelle prendre ?

Elle en ouvre plusieurs, Myriam s'adresse dans toutes à Lola, elle voit passer la mort de Marc, Lola à l'école, son mariage… quelques allers et retours dans les saisons et les années. Beaucoup de choses qu'elle connaît de loin mais qu'elle vit au travers des mots de Myriam avec un écho nouveau au fond de son cœur.

Elle s'attarde alors sur deux enveloppes identiques, vous vous rappelez que toutes ont un dessin crayonné dans un angle. Là, c'est une jolie rose avec une fillette assise dessus.

Elle les prend toutes les deux, laquelle ouvrir, une est plus épaisse que l'autre, gourmande de curiosité elle prend la plus lourde.

Lola,

Tant de questions peuplent ta tête. Comment t'aider ? Te rappelles-tu quand tu me demandais de te raconter ta naissance ? Je t'avais inventé ce joli poème :

De jolies gouttes d'eau tombées du ciel ont arrosé mon beau jardin.
Sans faire de bruits sous la rosée une fleur a pointé son nez.
Déjà grande elle avait poussé bien cachée derrière les rosiers.
Délicatement je l'ai cueillie, des épines je l'ai écartée.
Dans mon jardin l'ai replanté, au grand soleil a resplendi.
La belle fleur grandit nourrie de mes perles de rosée.

C'était pour tes 10 ans. Ça t'avait plu. Puis à chaque anniversaire la question est revenue, tu voulais voir des photos, tu posais des questions que je noyais dans des réponses floues mais jolies qui apaisaient des tourments qui commençaient à apparaître.

Ma Lola, je t'aime tant, me pardonneras-tu de t'avoir menti ?

Papa m'a fait promettre avant de mourir. Alors voilà la vérité.

Tu le sais, nous venons de Savoie avec papa, c'est vrai. Nous sommes venus nous installer loin des nôtres car ils n'appréciaient pas la décision que nous avions prise : adopter un enfant.

Eh oui, nous t'avons adoptée, nous ne pouvions pas avoir d'enfant, un traitement que ma mère avait subi pour m'avoir m'avait rendue totalement stérile.

Nous étions pressés, et aucun bébé n'était disponible, j'ai horreur des mots crus que j'utilise mais c'est ce qui s'est passé on nous a proposé l'adoption d'une fillette de 7 ans, très jolie, très sauvageonne. Nous aurions préféré un bébé car nous n'avions pas l'intention de lui dire un jour qu'il était adopté, nous le voulions entièrement à nous. Pour toi, ma Lola, les conditions étaient particulières, tu souffrais d'amnésie profonde, tes proches avaient péri dans un grave accident et le choc émotionnel avait été si violent chez toi, que l'amnésie était irréversible.

Une aubaine pour nous, je suis vraiment désolée, ton malheur a été notre plus grand bonheur. On t'a expliqué qu'on était ton papa et ta maman, tu nous as crus, on est devenus tes parents et on le sera toujours, ma Lola d'amour.

Voilà, maintenant tu sais.

Papa serait content, il n'a jamais voulu que je te mente, il était convaincu que le passé ressurgit toujours et que ça te rendrait malheureuse de ne pas savoir, 7 ans c'est grand, on a déjà vécu tellement de choses me disait-il. Mais il m'aimait tant qu'il ne m'a jamais trahi.

Cela peut-il expliquer les tourments qui te frappent ?

J'espère que mon amour de maman parviendra à t'aider.

Je t'aime, ma Lola.

Ta maman pour de vrai

9

Clinique, Lola, première hypnose

L'hypnose n'est pas un lavage de cerveau ! On ne révèle pas ses secrets les plus intimes si on ne le désire pas, Lola. Ce sont ses premières paroles avant de commencer la séance.

Elle m'explique que nous allons pratiquer une séance d'hypnose au fil de l'eau, ce n'est pas un état de sommeil, mais un état modifié de conscience, comme le rêve, la transe, la relaxation, ou la méditation... vous comprenez Lola ? J'acquiesce en mimant un hochement de tête.

Je vais déclencher l'hypnose de manière progressive. La séance dure 45 minutes.

Allongée sur un divan, elle me demande de fermer les yeux ou de fixer un point précis dans la pièce. Je préfère fermer les yeux. Assise sur une chaise à côté de moi, Rosy m'invite à me détendre. Une musique apaisante se diffuse dans la pièce. À l'aide d'un micro, d'une voix douce et monocorde, elle commence à me parler. Délicatement, elle me propose de me concentrer sur certaines zones de mon corps ce qui me permet de fixer mon attention sur moi-même. Une certaine léthargie commence à m'envahir.

Rosy me demande de lever une main. Instinctivement, je lève ma main. Je me trouve bien, en état d'hypnose. Ensuite, elle me répète des suggestions :

— Vous n'avez pas besoin de vous embêter à essayer *de* m'écouter parce que votre inconscient peut le faire et me répondre par lui-même. *I*maginez-vous dans un endroit agréable.

Je m'imagine dans ses bras, ils sont doux et puissants. Je me sens bien, pour la première fois depuis longtemps je commence à m'apaiser.

— Je vais compter de neuf à un, et chaque fois que je descendrai d'un, vous irez de plus en plus profondément à l'intérieur de vous-même, tranquillement, agréablement, merveilleusement... 9 de plus en plus profondément, 8 à l'intérieur de vous-même, 7 agréablement, sereinement, 6 à l'intérieur, au plus profond de vous-même, 5 merveilleusement, tranquillement, 4 à l'intérieur, naturellement, 3 de plus en plus et de mieux en mieux, 2 au plus profond de l'esprit, 1 là où il est si agréable d'être, à l'intérieur de soi, là où on a toujours été, merveilleusement, totalement, naturellement. Dans un instant, je vais vous donner des instructions et je veux que vous suiviez ces instructions. Si je vous demande d'imaginer quelque chose, je veux que vous l'imaginiez... Quel est le souvenir le plus agréable que votre esprit inconscient puisse trouver ?

— Je suis dans un jardin au milieu de mille senteurs et couleurs.

Elle se sent partir, le vois, le sens, c'est si réel.

« Je te présente Mathieu, le seul, l'unique mon meilleur ami d'enfance », me dit Simon.

« Pouvez-vous m'en dire plus sur Mathieu ? »

« Je préfère Matt, a-t-il répondu. Il est beau comme un dieu, cheveux épais, noir corbeau, j'imagine les dessins de son corps à travers son polo ajusté blanc cassé. »

« Pouvez-vous percevoir l'effet que cet homme fait sur vous ? »

« Sa rencontre me bouleverse, me rend vulnérable, triste mais paradoxalement tellement heureuse. »

« Je voudrais que vous découvriez quelque chose d'inattendu. »

— Simon se tient près de moi, il me présente comme sa future épouse, je ne comprends pas, comment peut-il faire ça ? Il ne m'a pas fait sa demande. Je me dégage de son emprise. Je suis Lola, dis-je à Mathieu. Je lui tends ma main pour le saluer, ses doigts la portent à ses lèvres pour un doux, léger baiser.

— Ravi de rencontrer la dulcinée de mon ami, me murmure-t-il. Sa voix est grave un brin roque. Son regard me transperce, je sens la main de Simon se poser sur le bas de mes reins. Je sais que je ne laisse pas indifférent son ami. Il se dit d'ailleurs pressé et désolé de ne pas pouvoir rester plus longtemps avec nous.

« Une autre fois, avec plaisir dit-il. »

Simon l'invite à manger un soir à la maison. Matt dit qu'il lui confirme dans la semaine, il doit d'abord caler ses expertises navales. J'insiste sachant qu'il ne faut pas. Ne plus voir cet homme semble la plus sage des décisions pour mon couple.

« Maintenant, visualisez un boîtier qui comporte un bouton de réglage. Voyez-vous le boîtier et le bouton ? Prenez conscience du niveau de comportement problématique que vous avez avec cet homme, Matt. À quel niveau le ressentez-vous sur une échelle de 1 à 10 ? »

Je m'entends dire : « Lundi 10 au soir, nous sommes libres, ce sera avec plaisir de vous avoir avec nous. »

Il le sait, il ne peut décliner l'invitation. Il s'éloigne et je l'entends me dire :

« À lundi, Lola. » Mon prénom résonne comme un boomerang dans ma tête, sa voix retentit à m'en faire vaciller. La main chaleureuse de Simon me ramène à la raison. Un clin d'œil à son ami, et Matt disparaît au coin de la rue.

— Je vais maintenant compter de 3 à 1, et chaque fois que je descendrai d'un vous reviendrez en état de pleine conscience, 3 vous sentez votre corps, vos jambes, vos bras, votre tête se libère de mieux en mieux, 2 tranquillement, délicatement vous allez ouvrir les yeux, 1 naturellement, totalement, vous êtes réveillée.

Elle se réveille en douceur au terme du compte à rebours. Petit à petit, elle retrouve le contrôle de ses muscles et revient à la réalité sans ressentir de sensation de malaise.

Rosy est satisfaite de cette première séance d'hypnose au fil de l'eau. Lola est très réceptive.

10

Clinique, Lola le déclic

Ces dernières semaines ont été rythmées par les séances d'hypnose. Pour l'instant, cela me permet de retrouver un peu de calme, de sérénité en moi. Cela n'a rien changé à ma vie et ma culpabilité. La petite est juste moins présente.

J'ai dit à Rosy que cela ne servait à rien. Ils s'épuisent tous à vouloir me faire redevenir comme avant. Mais même avant je ne savais plus qui j'étais. Je suis peuplée d'incertitudes, la mort comme conscience.

Aujourd'hui c'est la 3e séance, j'en aurai 7 ou 8 en tout. Rosy me dit qu'il faut avant tout que je veuille aller mieux pour que cela fonctionne. Elle me trouve trop attentiste, elle veut que je donne de ma personne pendant les séances, que je me libère, me délivre, que dehors mes proches m'aiment et m'attendent.

Je longe le couloir blanc, mon doigt glisse sur la main courante. Je croise deci delà des blouses blanches, des personnes accablées de tourments. Personne ne me regarde ou je ne regarde personne. Je suis enfermée dans mon mutisme. J'ai compté, je mets exactement quatre minutes, 240 secondes de ma chambre à son bureau. J'y suis, la porte est à ma gauche. Ma montre a fini le 4ᵉ tour de cadran, toc-toc-toc. La douce mais franche voix de Rosy m'invite à entrer.

Le divan trône au milieu de la pièce, sa couleur rouge contraste avec le reste, il nous appelle à nous allonger dessus ce que je fais naturellement.

Elle commence tout de suite la séance, pas d'introduction, de mise en situation.

— À chaque mot que je prononce, à chaque silence, à chaque intonation de ma voix, vous allez de plus en plus profondément et agréablement entrer en transe. À partir de maintenant, tout ce que je vais dire deviendra automatiquement et instantanément votre nouvelle réalité. Vous suivrez absolument toutes mes suggestions, tant que je ne vous dirais pas le contraire.

Je suis surprise par la tournure qu'elle donne, jusqu'à présent à l'écoute, elle est autoritaire.

45 minutes, 2700 secondes plus tard. J'ouvre les yeux, surprise d'être debout au milieu de la pièce, je regarde Rosy livide, les yeux remplis de larmes. Qu'ai-je donc dit ? Je ne m'en souviens pas, à observer l'attitude de ma psychiatre cela doit être effroyable. Oh, mon Dieu ! Elle sait, j'ai dû lui dire, elle me juge déjà, la pitié plein les yeux. Je m'effondre en larmes sur le sol.

— Je suis désolée, je suis désolée. Je n'ai pas fait exprès ! dis-je entre deux sanglots. Je ne voulais pas, je voulais juste les empêcher de parler, murmurais-je.

Je sentis des bras m'entourer, Rosy se mit à me bercer, comme on berce un enfant pour le réconforter d'un gros chagrin.

— Chuuut ! chuut ! Ça va aller… là… doucement, ce n'est pas ta faute, tu n'es plus toute seule, je suis là maintenant.

Nous sommes restées comme ça, enveloppées l'une à l'autre, le temps que je comprenne que pendant la séance ce n'est pas moi qui ai parlé, mais la petite.

11

Clinique, entretien

14 h 15. Madame Arnaud est une femme ponctuelle, elle ne devrait pas tarder. Grâce à sa dernière confession, les séances avec Lola ont fait un bond. On n'est pas encore au bout de nos peines mais les derniers évènements montrent que nous en avons pris le bon chemin.

Au fur et à mesure, je me suis attachée à cette petite femme. Je souhaite du plus profond de mon cœur qu'elle s'en sorte et pour ça j'ai besoin d'aide. Madame Arnaud est la seule à pouvoir me l'accorder, il n'y a qu'une mère pour sa fille pour arriver à sortir son enfant des ténèbres. Les sacrifices sont saints et sans reproche de la part d'une maman, génitrice ou pas, l'amour est là, puissant j'en suis convaincue. C'est d'ailleurs en premier lieu pour cette raison que les parents adoptifs cachent leurs véritables liens avec l'enfant, comme ici avec Lola. Par amour.

Debout devant ma fenêtre, je vois la Twingo se garer sur le parking des visiteurs. Je m'installe à mon bureau, bois un peu d'eau. Bien qu'attachée à ma patiente je dois garder un aspect professionnel, je me recoiffe, jette un œil à mon reflet dans la fenêtre et souffle un bon coup, ce que j'ai à raconter aujourd'hui n'est pas facile. On frappe à ma porte, madame Arnaud, entre de façon discrète comme à chaque fois, cela doit être sa façon de vouloir paraître invisible. Elle arrive un triste sourire au visage. Je ne tiens plus.

— Bonjour, Myriam. Vous permettez que je vous appelle Myriam ? Elle acquiesce sans soucis.

— Je vous remercie de vos dernières confessions. Grâce à vous et ces informations sur l'adoption de Lola, la dernière séance d'hypnose a été des plus fructueuses.

— C'est juste normal pour une mère rétorque-t-elle.

Je l'ai piquée au vif, j'ai la réaction attendue, c'est parfait ! À moi maintenant de mener la danse.

— J'ai besoin de vous. Non, je reformule : Lola a besoin de vous. Je vais être directe, l'hypnose a révélé un drame que Lola a vécu avant que vous l'adoptiez.

Je vois Myriam avoir un élan de curiosité.

— Je vous arrête tout de suite nos séances sont confidentielles, Lola vous en parlera si elle le souhaite.

Myriam se remonte sur son siège, je la perçois furieuse de ne rien lui dire.

— Cependant, j'ai besoin de vous pour certifier les propos de votre fille.

Myriam se radoucit.

— Vous seule êtes à même et autorisée à me trouver les informations dont j'ai besoin. Vous devez demander et profiter de votre droit de parentalité en disant qu'il en va de la vie physique et mentale de Lola. Je sais et comprends que la vie de Lola avant vous ne vous préoccupez guère, mais maintenant il est d'urgence de savoir et connaître son passé d'enfant. C'est la seule façon de la sauver. Est-ce que je peux compter sur vous ?

Myriam sourit. Je comprends dans son regard que pour une fois, depuis des mois, elle va pouvoir enfin servir à quelque chose.

Pour la première fois, Myriam quitte le docteur Rubis presque guillerette.

Elle descend la volée d'escaliers d'un pas allégé, le soleil glissant au travers des grands arbres lui caresse la peau, et si ce n'est du bonheur un sentiment apaisé lui emplit le ventre.

Enfin ça bougeait, enfin il se passait quelque chose et c'est grâce à elle, Myriam Arnaud, qu'une petite lumière apparaissait au bout du chemin.

Le sentiment d'impuissance qui l'habite depuis des mois se délite. Rosy, comme elle a envie de l'appeler désormais, lui demande son aide et reconnaît son pouvoir, mieux sa responsabilité de maman, elle devient mère pour la deuxième fois.

Rosy par la fenêtre la regarde partir. Elle perçut le changement, les épaules plus droites, le pas plus tonique. Elle la vit tendre son visage au soleil et quand la Twingo démarra que la voiture se faufila habilement pour sortir du parking, elle fut sûre d'avoir fait le bon choix.

Myriam n'a pas perdu de temps, elle a ouvert les dossiers de l'adoption qu'elle avait soigneusement rangés, bien cachés dans l'atelier de Marc. Ils avaient choisi cette cachette ensemble, sachant pertinemment que c'était un endroit où leur fille ne s'aventurerait pas, le grenier était bien trop synonyme de secret dans l'imaginaire des enfants.

Les dossiers ne sont pas très nombreux, il y a l'adoption par elle-même, un dossier de l'A.S.E, aide sociale à l'enfance défaillante, un autre du CNAOP.

Elle les parcourt rapidement, se remettant en mémoire et en situation.

Lola aurait donc vécu un drame, c'est le terme utilisé par le docteur.

Elle sait que l'adoption a été particulière, d'abord il y a cette histoire de mémoire, ensuite ils ont pu avoir une adoption plénière, c'est-à-dire que Lola a pris leur nom, un trait a été tiré sur sa vraie famille, ils ont gardé son prénom, le trouvant joli, elle a pris leur nom Arnaud.

Lola Arnaud, 7 ans, petite fille timide, au doux sourire, s'évanouissant rapidement, des cheveux bruns aux reflets dorés, des yeux en amande marron avec des pointes de verts qui ne demandaient qu'à envahir la pupille avec le bonheur naissant. Ils l'ont adorée immédiatement. La petite n'eut aucune résistance, elle voulait un papa et une maman, et eux ne voulaient qu'elle. Dès la première visite, la famille se construisit et le destin les lia.

Elle se rend compte que tout à leur joie d'avoir leur enfant à eux, ils n'ont guère posé de questions sur son passé. Il ne va pas être simple de revenir en arrière. Surtout que logiquement seul l'enfant majeur a le droit de remonter à ses racines. Mais Rosy lui a dit de faire valoir la situation psychiatrique de Lola. C'est donc ce qu'elle va faire. Est-ce qu'elle doit appeler Simon pour le tenir au courant de tout ça ? Elle balaie cette idée d'un revers de main, le docteur fera ce qu'il juge bon. Elle va agir en tant que mère et n'a de compte à rendre qu'à Lola.

Elle retrouve assez vite le nom de la personne qui a suivi le dossier, monsieur Duquenel, un homme très attentionné, qui semblait bien connaître la fillette.

De la chance, il répond immédiatement à son appel, se souvient très bien du dossier, paraît surpris de son appel, demande des nouvelles de Lola. Quelques mots instinctifs permettent à Myriam d'expliquer la situation.

Long silence.

Pas simple tout ça.

Besoin de réflexion, voir son supérieur.

Il raccroche.

Rappelle 10 minutes plus tard.

Elle doit venir le voir en personne avec une lettre du docteur, une autorisation de Lola si elle est en mesure de comprendre. Ils lui dévoileront ce qu'ils ont sur Lola.

Myriam prend rendez-vous, il va lui falloir retourner dans son passé, elle a peur certes mais Lola peut compter sur elle. Elle appelle Rosy, lui explique tout, contente d'un nouveau pas. Sur le point de raccrocher, elle ajoute :

— Je connais déjà son ancien nom, elle s'appelait Lola Bondil.

12

Grambois, Dolorès

Dolorès est revenue. C'est mardi. Six jours se sont écoulés depuis son intrusion clandestine. Aujourd'hui, elle n'a pas à trembler, c'est son jour de ménage. Elle est plus sereine maintenant, moins perturbée de faire mal. Elle se hâte à faire son travail et s'assoit à l'écritoire naturellement. Elle avait repéré une enveloppe avec un dessin de cage à oiseaux dessus qui l'a intriguée. Elle trouve l'enveloppe sans hésitation. Et se plonge dans sa lecture.

Je ne comprends pas ce qui s'est passé, tout a basculé d'un coup. Voilà quelques jours, tu es revenue à la maison. Tu as laissé Simon en Suisse. Tu nous as dit avoir besoin de te retrouver, que l'accident t'avait beaucoup perturbée, que Simon avait du mal aussi, que tu te sentais responsable de ce qui est arrivé, que tu n'arrives pas à te le pardonner. Tu ne peux plus le regarder en face. Il te faut du temps, nous as-tu dit. Cet après-midi, nous sommes allées toutes les deux nous promener dans le Sentier des Gorges ? Tu as toujours aimé y aller, je me suis dit qu'on pourrait un peu parler. Il y fait frais, le sentier longe une petite rivière, il y a même quelques petits trous d'eau où l'été nous allons nous rafraîchir. Cet après-midi, nous avons promené en silence, je sentais que tu n'avais pas envie de parler, tu étais dans tes pensées. J'ai respecté ton silence. C'est sur le chemin du retour que tout a basculé. Nous roulions, tranquillement, tu m'as regardé d'un coup et m'as dit :

— Dis-moi la vérité, maman !

— Je t'ai regardée étonnée, tu as continué un peu plus agacée.

— Il y a quelque chose que tu me caches sur ma naissance ? J'ai essayé de te calmer car tu t'énervais.

— Mais arrêtes avec ça on en a déjà parlé, je ne te cache rien.

— Si, t'es-tu emportée, elle me l'a dit !

— Mais qui te dit ces bêtises ?

— C'est elle, c'est la petite, elle me le dit à l'oreille.

J'ai voulu me garer pour te raisonner mais je n'ai pas eu le temps de m'arrêter que tu t'étais tournée vers la vitre et que tu t'es mise à te taper la tête violemment, en criant, tu mens, tu mens, c'est nous qui sommes méchantes, c'est nous qui faisons du mal. Tu t'es mise en sang, je n'ai rien pu faire, j'ai été obligée d'appeler des secours. Tu t'accusais de choses incompréhensibles. Endormie, enfermée, tu as été transportée et mise sous protection. Papa est atterré, il ne comprend pas. Moi non plus je ne comprends pas et j'ai peur de ce qui arrive.

Ne t'inquiète pas, on va t'aider.

Maman

Dolorès replia la lettre, elle non plus ne comprenait pas.

13
Clinique Saint-Saturnin

— Regarde l'horloge, Lola. Maintenant, doucement, tranquillement, fais remonter le temps le plus loin possible. Profondément, paisiblement, enfouis-toi dans ton passé et raconte.

Tic-tac, tic-tac. Les aiguilles de l'horloge ronde en acier, ni belle ni moche, se mettent à tourner à sens inverse doucement, puis à une vitesse qui me projette quelques mois ou ans en arrière je n'ai plus la notion du temps depuis que je suis ici.

J'ai la bague au doigt depuis peu, nous avons fait une cérémonie en catimini au grand désarroi de mes parents qui voulaient être présents pour partager ce bonheur avec nous. Seuls les enfants de Simon sont présents, en tant que témoins et Matt son meilleur ami. Ce fut une cérémonie des plus intimistes, une petite robe mi-coton et mi-lin achetée sur le marché qui me donnait un effet bohème chic avec une couronne de fleurs tressées dans mes cheveux ondulés. Simon était habillé d'un pantalon type chino rose pâle, une chemise en lin blanche avec un col mao. Il était beau comme un dieu. Les cheveux en bataille il me couvait d'un regard doux et généreux de bienveillance et d'amour. Je l'aime tant et pourtant je suis persuadée de ne pas l'aimer comme le devrait une femme tout juste mariée.

Les aiguilles recommencent à s'agiter, à tourner en sens contraire. Je suis, quelques jours avant le mariage, entourée par une forêt de sapins, des prairies c'est dans le cadre idyllique du lac Bachalp que je promène avec notre berger allemand, imaginez un peu le tableau, un lac aussi bleu qui contraste avec la verdure et les couleurs des fleurs qui entourent le lac et avec le blanc des neiges éternelles des Alpes au loin… Je marche à pas vif avec Aton en ligne de mire lorsqu'au au large du lac j'aperçois le bateau de Matt. Mes pas ralentissent, Aton s'en aperçoit et aboie en signe d'encouragement. Je remarque l'eau du lac remuer à une dizaine de mètres du voilier. C'est lui, nageant un crawl parfait, qui s'approche du rivage dans ma direction. M'a-t-il vue ? Je ne sais pas. Je l'observe un instant à l'abri de tout regard inquisiteur, il arrive sur le bord du lac, l'eau à hauteur de hanches je m'attarde sur son corps de sportif presque professionnel. Vous connaissez Guillaume Labbé, le joueur de rugby, eh bien c'est Matt mais ce dernier en dix fois mieux. 38 ans, une coupe de cheveux propre mais à l'effet négligé, une barbe naissante, un sourire en coin qui ne demande qu'une seule chose y répondre avec addiction.

Il s'avance lentement sans me voir ni me regarder. C'est le chien qui l'interpelle par ses jappements, je comprends qu'il le reconnaît car je le vois tourner la tête d'un sens à l'autre jusqu'à tomber sur moi. Et voilà, il me sourit. Il me fait un signe de la main, Aton ne résiste pas à la tentation de le rejoindre dans l'eau. Il s'amuse un instant avec lui comme un vrai gamin et finit par venir dans ma direction. Nous nous rapprochons sans un mot mais un regard qui en dit long sur le plaisir que nous procure cette rencontre imprévue. Je sens sa bouche, sa joue humide contre la mienne, il n'y a qu'à moi qu'il fait la bise comme ça, je le sais je l'ai observé avec les autres, hommes ou femmes, cela ressemble à une bise volée tandis que moi elle est intense, demandeuse, crieuse. Le reste de l'eau ruisselle sur son torse, elle amplifie sa silhouette et ses muscles bien taillés. Je découvre alors qu'il est en caleçon. Matt entrevoit mon regard.

« Désolé pour la tenue, je n'ai pas résisté à la tentation du lac, je n'avais pas prévu et je pensais ne croiser personne », dit-il.

« Ne t'en fais pas pour ça », dis-je dans un souffle court. J'étais essoufflée comme si j'avais fait un 100 mètres mon cœur tambourinant comme en plein effort. Voilà l'effet que cet homme avait sur moi, un simple regard, un effleurement et j'étais bouleversée d'émotion, d'envie, de regret, de plaisir à l'espoir d'être peut-être un jour contre lui, dans ses bras non plus comme la femme de son meilleur ami mais comme la sienne. J'allais me marier dans un mois avec Simon, un homme exceptionnellement bon, merveilleux et sans ombre et je ne pensais qu'à Matt tout en aimant aussi Simon. Il ne tarda pas d'ailleurs à me demander si j'étais prête pour le jour J. je me renfrognais un peu qu'il me rappelle à la réalité.

On marcha quelques minutes côte à côte, en parlant de l'instant, Aton à nos trousses reniflant les bords du lac. De temps à autre nos mains s'effleurant par inadvertance ou fait exprès mais sans en ressentir de gêne, nous poursuivons notre bout de chemin main dans la main. Mon regard s'attarda sur sa montre en bois de chez Bobo Bird, 11 h 30 ! Il fallait que je rentre, Simon m'attendait pour déjeuner. Nos mains se libérèrent. Il me caressa la joue.

« Allez cours, ma panthère, va retrouver mon ami, le futur marié ! »

Sa voix était douce sans animosité mais son regard devait certainement refléter le mien, il était triste et mélancolique.

— Doucement, tu écoutes, tu reprends conscience des bruits qui t'entourent, ma voix devient claire très claire, tu peux revenir Lola.

— NON !

La voix surprend Rosy qui se préparait au réveil.

— NON, c'est à moi de raconter.

Elle la reconnaît immédiatement, c'est la petite qui est revenue.

Perplexe, mais professionnelle, elle se met en mode action.

— Mais oui ma grande, je ne savais pas que tu étais là, je t'écoute, raconte.

Un silence un peu long s'installe. La petite apparaît peu à peu dans le visage, prend possession du corps qui se recroqueville légèrement. Prenant ses genoux dans ses bras elle y enfouit sa tête comme font les enfants quand ils boudent ou sont tristes. Lola relève sa tête, les yeux sont pleins de larmes.

Je sais ce qu'elle ressent, avec Thomas on s'aime comme ça. Quand monsieur Duquenel m'a accompagnée, il m'a présenté toute la famille, il y avait maman, papa était absent, Cécile et Thomas. Je n'ai vu que Thomas, nos yeux se sont rencontrés et j'ai su que j'étais arrivée chez nous. Je peux tout comprendre, les regards qui parlent, les sourires qui se comprennent, la main douce qui te donne sa chaleur et te fait papillonner le cœur. Cette main que je prenais pour m'aider à descendre une pente escarpée, mais que j'aurais bien gardée pour traverser la vie. Cette épaule où je me calais pour calmer mes crises d'angoisse. Je suis petite oui mais je sais ce que c'est. Et je sais que nous on n'y a pas droit.

La colère s'insinuait dans le timbre de voix.

Rosy saisit la nuance et voulut reprendre la main.

La petite eut un dernier ressaut pour crier :

— TU LE SAIS… TOI AUSSI… NOUS SOMMES PUNIES…

Cette fois encore, Lola se réveilla debout en larmes devant Rosy.

14

Parc Chabot, à 5 km de la clinique

Rosy courait, Rosy courait toujours après une dure semaine, après une séance d'hypnose compliquée à gérer il fallait qu'elle évacue le trop-plein de mauvaises ondes. C'était sa façon à elle de décristalliser et de prendre de la distance pour avoir le recul nécessaire sur des situations complexes à analyser, je dirais même à disséquer. Aujourd'hui tout particulièrement elle avait besoin d'espace et d'air. Ses jambes arrivées à destination, elle s'affala sur le sol herbeux que lui offrait le parc Chabot.

Le souffle court, son pouls cognant sa tête, elle respirait doucement pour reprendre le contrôle petit à petit de son corps, comme elle le demande à ses patients à la fin d'une séance d'hypnose. Légèrement, calmement, son esprit l'emmène aux dernières séances avec Lola Arnaud ? Ou Lola Rys ? Et maintenant Lola Bondil ? Jamais dans toute sa carrière elle n'avait connu un tel dédoublement de personnalité.

Vous n'avez jamais entendu parler des personnalités borderline ? Eh bien, c'est Lola. Ce trouble psychologique est de plus en plus répandu. Anxiété, irritabilité, instabilité affective. Cet état « limite » se traduit par des difficultés à gérer ses émotions. On ne connaît aujourd'hui pas bien l'origine de ce trouble. Il semble qu'un traumatisme survenu précocement dans l'enfance de Lola en soit à l'origine. Ce trouble de la personnalité est un véritable calvaire pour tous ceux qui le vivent.

Rosy se concentre, essayant de remettre en ordre le parcours de Lola. Petite fille ballottée entre les familles d'accueil depuis son plus jeune âge. La première question qui lui vient en tête est pourquoi ? La petite se souvient de sa maman, d'après les séances d'hypnose elle décrit une maman plutôt jeune, trop jeune ? Sa maman était adolescente et certainement fébrile mentalement. La petite n'est pas née sous X, sa maman voulait la garder mais elle lui a été enlevée. Lola Bondil a été placée en famille d'accueil, la dernière en date dans ses souvenirs attire l'attention de Rosy sur l'amour que la petite portait à celle-ci. Et puis BOUM ! Le trou noir dans la mémoire de Lola Arnaud pour se protéger. La petite se reproche d'être punie, la grande doit l'être aussi selon elle. Mais pourquoi ?

Rosy ne comprend pas, Lola Arnaud avait trouvé une famille d'adoption aimante, stable. Il y a eu cette rencontre avec cet homme, Simon, certes plus âgé, mais socialement parlant très bien et puis de nos jours les écarts d'âge ce n'est plus ce qui choque. Les parents de Lola, vivaient plutôt bien la relation tout au moins s'en arrangeaient comme le font les parents qui aiment leurs enfants. Alors pourquoi ce craquage ?

« Lola, qu'est-ce que tu ne me dis pas ? Tu m'as avoué un adultère douloureux d'amour et d'interdit. On ne se fout pas en l'air pour ça ! Que s'est-il passé là-bas en Suisse ? » Myriam aussi cache et donne les infos au compte-gouttes. Rosy en semi-conscience se retrouve à arracher l'herbe de colère et d'impuissance. Elle ne sait pas si elle arrivera à aider sa patiente.

Myriam ne dit rien, ou très peu et à coups de dé chausse-pieds. Elle se retrouve dans l'obligation de faire ce qu'elle aurait dû faire depuis le début. Prise d'empathie pour Myriam elle a voulu respecter l'amour d'une mère au détriment de la femme enfant mais épouse.

Rosy, d'un geste impulsif, prend son portable et envoie le mail préparé depuis longtemps dans ses brouillons. Il fallait un électrochoc, il en serait un. Elle jette son portable dans l'herbe un peu plus loin. Un bip annonce le message envoyé. Son cœur palpite de crainte mais elle est sereine.

Bonjour, Simon,

Excusez ma familiarité. Je suis Rosy, psychiatre à la clinique de Saint-Saturnin où séjourne votre femme, Lola Arnaud, depuis quelques mois.

J'ai besoin de vous voir pour avancer sur la thérapie de Lola. Nous arrivons au bout de nos ressources. Nous ne pouvons plus rien faire, vous êtes sa dernière chance.

Merci de me recontacter rapidement pour prévoir votre visite.

Il s'agit de votre femme !

Cordialement,

Rosy Rubis

En le relisant, Rosy regretta sûrement sa brutalité. En hochant les épaules, elle se dit aussi que l'on ne se refait pas.

15

Grambois, la maison des Arnaud

Il fait doux ce matin, le soleil s'insinue à travers les persiennes. Ça sent le printemps. Il doit être un peu tard car les odeurs du jardin pénètrent jusque dans la chambre, éveillées par la température plus chaude de ces premières journées de mai. Myriam reste bien calée sous sa couette, cette nuit elle a bien dormi, ça faisait longtemps qu'elle n'avait pas dormi si pleinement sans somnifères. Bien blottie contre son oreiller elle laisse le soleil lui chatouiller les cils, le front, la joue comme une douce caresse. Tranquille et apaisée, bizarrement pense-t-elle, l'image de Lola s'installe dans sa tête. Rien n'est réglé pourtant, les évènements se bousculent ces derniers jours, elle les laisse défiler, reprenant pied dans la réalité, quittant petit à petit le monde douillet de cette nuit.

Elle comprend soudain pourquoi elle a bien dormi : elle a un rôle à jouer dans la guérison de sa fille, enfin de l'action, merci docteur Rubis.

Elle prend conscience du soleil qui devient gênant en éblouissant sa rétine à travers ses paupières mi-closes, la couette qui devient lourde. Elle jette ses jambes par-dessus d'un geste subitement plus nerveux. Elle est réveillée.

D'un pas sûr, elle descend l'escalier et commence son rituel du matin. Cette semaine ne sera pas comme les autres. Elle a posé quelques jours de congés à la maternelle. Ses petits chérubins vont lui manquer mais c'est pour la bonne cause, son Graal, sa fille. Au programme, retour dans le passé, elle a rendez-vous avec monsieur Duquenel, elle retourne vers son pays natal, à la source et compte bien en revenir avec un petit bout du passé enterré de Lola Bondil.

Pour l'instant, elle en est à son moment café. Le bol fumant entre les mains, elle laisse son regard vagabonder sur toutes ces choses qui font un chez-soi, son esprit ricochant de souvenir en souvenir, de sourire en sourire. Elle se fait la réflexion que finalement avant ça sa vie était peuplée de tous ces petits instants qui font ce tout, elle a peur de formuler le mot tant elle craint de ne le voir jamais revenir. Mais c'est bien le mot bonheur qui s'écrit dans ses pensées.

C'est à ce moment-là que la sonnerie du téléphone éclata. « Oui » éclata car elle la surprit, ce téléphone qui résonnait si souvent était devenu silencieux et je préciserais silencieux ou porteur de mauvaises nouvelles. Myriam s'empresse toutefois et va décrocher, la nuque déjà parcourue de tensions et la mâchoire légèrement bloquée, la peur, l'oiseau de mauvais augure pointait son nez. Le sixième sens ? C'est cela, sûrement !

***

Grambois, le même jour

Dolorès trottine le visage tendu vers le soleil plein de promesses, elle respire à pleins poumons les odeurs de lilas qui bordent la petite route. Son gentil espionnage continue.

Dolorès-Myriam.

Myriam-Dolorès.

Un petit jeu s'est installé.

Myriam sait pour Dolorès.

Mais Dolorès est toujours dans l'intrusion. Ce sentiment malsain d'être une petite espionne.

Ses visites à l'Arnaude sont quasi quotidiennes maintenant, elle évite juste le week-end.

Elle est intriguée tout de même, un mardi elle a trouvé la corbeille bien en évidence posée sur la table, et c'était un mardi, son jour de ménage. Elle a trouvé Myriam peu prudente. Une autre fois, la lettre était posée en évidence sur le bureau, finie pourtant et posée à côté de l'enveloppe, encore un mardi.

Cette semaine, elle va être tranquille, Myriam lui a dit de s'absenter jusqu'à jeudi. Elle lui a même demandé d'en profiter pour venir un jour de plus pour faire le ménage de printemps, rideaux à laver et changer, car il y a les rideaux d'hiver et les rideaux d'été, cette femme est particulière, les housses de coussins aussi changent avec la saison, les plaids en mohair disparaissent pour être remplacés par de légers jetés en lin. Dolorès adore faire ça, elle a l'impression de jouer avec une maison de poupée.

Du coup la voilà qui trottine d'un pas léger, trop contente, la maison pour elle… Et les lettres…

Imperceptiblement, elle accélère le pas. Elle arrive à l'Arnaude et envoie la main derrière les capucines, sa main tâtonne, passe le plat de sa main derrière le pot sur tout le rebord de la fenêtre. Elle se relève étonnée, pas de clé. Petit moment de panique. Pourquoi je n'ai plus la clé, se dit-elle ? Tout défile dans sa tête, elle sait ce que je fais ! Je me suis fait griller, je vais perdre ma place… et surtout la honte ! Debout dans le jardinet, les poings sur les hanches, Dolorès secoue sa tête, pas possible, elle se remet devant le pot de capucines, cette fois-ci elle envoie les deux mains encerclant le pot entier, elle suit le bord du pot bien le long du rebord et un grand soupir lui dessine un sourire. Extirpant les clés coincées dans la fente. Elle se trouve idiote.

Un peu tremblante tout de même, elle entre chez les Arnaud.

Une odeur de café flotte encore dans l'air, Myriam a dû quitter la maison il y a peu, elle repère du coin de l'œil la pile de rideaux à changer, et son œil s'étire en coin vers l'écritoire. Oui, il y a quelque chose posé…

Accro, Dolorès lâche ses sacs et court à sa dépendance. Une lettre vient d'être écrite.

Il faut que tu sois au courant, après ton internement, Simon a continué à appeler, j'ai continué à ne pas décrocher comme tu me le demandais depuis ton retour, ses tentatives se sont espacées jusqu'à un silence total.

Moi j'aurais bien voulu lui répondre, savoir ce qui s'est passé vraiment, tu n'as pas craqué ainsi sans raison. Papa était encore là et il m'encourageait à ne rien lui dire et puis, après je me suis laissé engloutir.

Bon, pour te dire que ce matin il m'a appelée.

Il était très en colère de ne pas avoir été mis au courant, ton docteur Rosy Rubis lui a envoyé un message limite poli, lui reprochant de ne pas s'occuper de toi. Ça n'était pas le Simon que je connais qui me parlait, il était révolté, parlait très fort, lui si posé, il ne comprenait pas ce que je lui expliquais. Il a retrouvé son calme quand il a compris que tu ne m'avais rien dit, il m'a fait de la peine. Je lui ai raconté tout ce que je suis en mesure de lui raconter, il s'est calmé, je l'ai imaginé sans mal au bout du fil, la détresse dans sa voix était palpable. Alors, après un long silence que je ne me suis pas permis de rompre car il est de ces moments salvateurs, Simon m'a parlé.

Pourquoi, Lola, ne m'as-tu pas raconté ce qui s'était passé ? J'ai eu honte de ton silence. Moi qui croyais qu'il s'agissait d'une fracture de couple, je suis tombée de haut.

J'ai écouté Simon longtemps, il va appeler ton docteur et voilà ce qu'elle entendra.

Tu as vécu un terrible drame, un accident terrible, un naufrage.

Rappelle-toi, avec Simon tous les étés vous partiez avec le voilier naviguer en Méditerranée, il emmenait avec vous ses deux enfants, sa fille Lucille et son fils Timéo, c'étaient ses vacances avec eux. Cet été, au dernier moment, empêchement professionnel, il n'a pas pu partir le jour J, et votre ami Mathieu, que je ne connais pas, vous a accompagnés, c'est, paraît-il, un skipper émérite en plus d'être son ami d'enfance. Simon devait vous rejoindre en avion sur Hyères sitôt sa réunion terminée. Vous étiez dans la rade de Toulon, en passant le cap Cissier, vous avez eu une avarie malheureusement en plein milieu d'une tempête, le bateau s'est fracassé sur les rochers.

Le pire est à venir, ses enfants s'étaient mis à l'abri dans leur cabine, le bateau s'est échoué sur les récifs, à moitié coulé, les enfants sont restés coincés dedans et ont péri noyés.

Bien sûr, cela a été très douloureux, très compliqué pour lui car il y a perdu ses enfants et a dû gérer ça avec leur mère. Dur pour toi aussi, tu as eu une crise de nerfs effroyable que les secours ont gérée avec difficulté. Une fois rentrée en Suisse, tu as sombré dans une profonde dépression.

Tu te reprochais de ne pas avoir su les protéger, t'accusant de les avoir tués. Des accusations fortes qui prouvaient ton grand désarroi. Il a bien cherché à te rassurer, te répéter que tu n'y étais pour rien, tu restais bloquée sur ta culpabilité. Très perturbé par la perte de ses enfants, il n'était pas à même de t'aider. Tu ne voulais voir personne, tu pleurais à longueur de journée et refusais même de voir Mathieu, rendant sa responsabilité effroyable alors que c'était vraiment la faute à pas de chance. Cette situation vous entraînant vers le chaos, il t'a suggéré, lourdement même, de venir quelque temps chez nous.

Il était tellement désolé, Lola, il voulait t'aider, pas t'envoyer en enfer. Je l'ai rassuré du mieux que j'ai pu, oui, moi, Myriam la veuve, la mère de la folle, j'ai trouvé les mots pour le rassurer et lui dire que tu étais entre de bonnes mains, que j'avais confiance. Il m'a crue, Lola. Comment peux-tu repousser un homme si gentil ? Il t'aime tant et ne demande qu'à t'aider.

Je suis de moins en moins seule. Je pars vers notre passé pour sauver notre avenir.

Crois en nous, mon amour.

Maman

Dolorès souffle un grand coup. Ouf ! Là, elle a eu son compte.

16

Haute-Savoie, bureau du CNAOP

Elle y est, ce sont les mêmes bâtiments vétustes que vingt ans plutôt. Ses pas perchés sur des talons qu'elle ne sort que pour les grandes occasions résonnent dans l'escalier. Ce matin, cela a été un réflexe pour elle de bien s'habiller pour venir dans les bureaux CNAOP. Le paraître pour un couple en attente d'adoption est indispensable. Alors, elle est sur son trente-et-un toute belle, maquillée, bien coiffée pour découvrir le passé de Lola.

Une charmante secrétaire la reçoit et l'invite à patienter dans la salle d'attente, c'est ici tenant la main de Marc qu'ils réunissaient tous leurs espoirs de l'avoir un jour auprès d'eux, ils l'aimaient tellement avant même de la connaître. L'arrivée de monsieur Duquenel interrompit ses pensées mélancoliques. Il l'invite à le suivre ce qu'elle fait de bon cœur mais un nœud au ventre.

Myriam dans sa tête : « Suis-je prête à recevoir ton passé ? Oui, ma Lola, ne t'inquiète pas quoi que j'apprenne, je ne jugerai pas. » Pourtant le nœud est là, elle a l'impression de tenir leur destin entre ses mains et espère que cette fois-ci il ne s'échappera pas.

— Bonjour, madame Arnaud, je vous évite les formules de politesse, nous savons tous deux que ce n'est pas spécialement un bon moment que nous allons passer ensemble. Nous n'allons pas nous remémorer de bons vieux souvenirs du passé.

— Bien sûr, murmura-t-elle.

— Lorsqu'une adoption plénière est accordée, ce n'est pas sans raison. C'est dans 90 % des cas à cause d'un évènement qui a porté atteinte à la santé ou à la vie de l'enfant. Ce que je veux que vous compreniez c'est que nous ne délivrons en général jamais ces informations à la famille adoptive, elles peuvent être difficiles à gérer pour vous mais aussi pour l'enfant.

Léger hochement de tête de Myriam. Monsieur Duquenel poursuit.

— Avant de vous délivrer ces informations, je vais devoir procéder à un interrogatoire un peu rébarbatif mais obligatoire, vous m'en excuserez.

— Nous ne sommes plus à ça prêt, dit-elle, un léger sourire aux lèvres.

Myriam essaya d'accrocher le regard de cet homme qu'elle avait rencontré tant de fois avec Marc pour l'adoption de Lola. Ce regard rassurant, encourageant n'était aujourd'hui qu'un regard grave, lourd et angoissant lorsqu'elle le croisa. Elle allait prendre la main de Marc pour se donner de la force, pendant un instant elle avait oublié qu'elle était seule. Sa gorge se gonfla de souffrance. Duquenel se leva et posa un verre d'eau face à Myriam. Il n'était finalement pas si insensible à sa douleur.

— Je me dois de vous informer que notre échange va être enregistré. Pouvez-vous me décliner votre identité ?

— Madame Arnaud Myriam.

— Madame, pouvez-vous me confirmer l'adoption de Lola Arnaud née Blondil le 25/05/1990 à Chambéry, adoption plénière effectuée le 19/09/1998 ?

— Oui, je confirme.

— Vous êtes ici aujourd'hui pour récolter des informations concernant le passé de Lola pour l'aider à sortir d'une dépression à caractère suicidaire.

Myriam remua la tête de haut en bas.

— Oui ou non, madame Arnaud ? Le micro n'entend pas les mouvements de tête.

— OUI ! dit-elle en haussant légèrement la voix.

Allait-il arrêter de lui parler sur ce ton ?

— Bon, nous y voilà.

Duquenel laissa échapper un soupir qui voulait en dire long sur ce qu'elle allait entendre. Et croyez-moi, vous-même n'êtes pas au bout de vos surprises.

Il parla, expliqua, déchiffra pendant plus d'une heure le passé de Lola.

Lola Blondil est née d'une mère adolescente célibataire et psychologiquement fragile. Jusque-là pas de surprise. La petite a été transférée de famille d'accueil en famille d'accueil car la mère voulait à tout prix la retrouver et la récupérer. Cette dernière faisait des pieds et des mains jusqu'à menacer de mort la personne en charge du dossier à l'ASE. Lola a donc été mise sous protection juridique et placée en famille d'accueil spécialisée. Elle a été accueillie chez une famille avec 3 enfants, monsieur et madame Sauveurs. Passons sur le jeu de mots, effectivement leur nom donne envie de sourire mais le passage de Lola ne leur a pas réussi. Lola y était bien intégrée, avec des enfants plus ou moins de son âge qui ont facilité la tâche je dirai même l'attache. Elle n'y est restée qu'une petite année.

Myriam allait pour prendre la parole, il la stoppa d'un geste ajoutant :

— Soyez patiente et laissez-moi poursuivre, vous allez avoir vos réponses.

Duquenel s'adoucit un instant en l'appelant par son prénom. Elle ne savait pas pourquoi mais elle sentit que cela ne présageait rien de bon.

— Comme je l'ai dit, durant quelques mois, à l'âge de 7 ans, après avoir intégré la famille Sauveurs, Lola a été transférée dans un centre éducatif car la famille entière ou presque a été assassinée. Vous trouverez dans le dossier des articles de journaux qui relatent cet évènement tragique.

Il posa délicatement des articles de journaux aux gros titres alarmants et sanglants :

« Massacre aux Sentiers des Sources, une famille dévastée. »

« La famille Sauveurs assassinée. »

« Elle a réagi comme si rien n'était arrivé. »

« Macabre découverte. »

« Une mère perdue assassine ! »

« Une lolita aux larmes de sang. »

Il s'agissait donc de ça.

***

La Twingo roule d'une bonne moyenne, franchit les péages, gravit les cols, traverse villes et villages, pas d'arrêt, juste pour le plein d'essence et une aire d'autoroute pour se restaurer.

La voiture à l'image de sa conductrice trace comme un automate.

Myriam sur le chemin du retour revoit passer les articles de journaux devant ses yeux. La reconstitution du massacre s'ancre en elle.

Lolita Bondil, mère adolescente s'est présentée au domicile de la famille Sauveurs prétextant d'après les enquêteurs une autorisation de visite auprès de sa fille. Arrivée avant l'heure du retour à l'école, elle a dû être invitée à pénétrer dans la maison. Son premier geste meurtrier a été pour le père on suppose qu'elle avait demandé de se rendre aux toilettes et positionnée derrière lui, elle lui a sectionné la carotide. La mère a dû la surprendre car des traces de bagarre ont été relevées. Toujours possédée de folie meurtrière, Lolita Bondil a défiguré madame Sauveurs, lui crevant les yeux avec les ongles, ravageant son visage. Madame Sauveurs a perdu la vie par étranglement. Elle s'est ensuite occupée des enfants dans leur chambre respective qu'elle a poignardés avec acharnement. Ils étaient sûrement en état de choc car aucun signe de panique n'a été relevé. Les hurlements ont alarmé les voisins qui ont donné l'alerte. Elle a accueilli sa fille qui rentrait de l'école bras ouvert, couverte de sang des pieds à la tête, comme si rien ne s'était passé. Cette femme a poussé le vice jusqu'à donner le goûter à la petite dans la cuisine de la famille d'accueil, lui faisant enjamber les corps ensanglantés de sa famille de cœur. Les policiers ont récupéré l'enfant au moment où elles montaient dans la voiture de Lolita Bondil. Les articles parlent d'une petite choquée et taciturne.

Au volant Myriam est dans un état second, les pensées tourneboulent dans sa tête, toutes sortes de raisonnements s'infiltrent dans son crâne. Oui son crâne, d'ailleurs, si elle se le permettait, elle se taperait volontiers comme sa fille contre le pare-brise afin de voir si l'histoire qu'elle a entendue n'est pas pure fiction.

Le trou de mémoire, les absences de Lola, son agressivité parfois surprenante, ses tentatives de suicide, son côté enfant sauvage… tout explique le comportement de leur fille.

Elle avait réussi à devenir une femme épanouie malgré tout. Est-ce seulement ce foutu accident de bateau qui la fit basculer dans la folie ? Pourtant tout le monde savait qu'elle n'était pas responsable de la mort de ces beaux enfants, pas elle apparemment.

Myriam n'était pas flic encore moins psy. La petite valise qu'elle a emportée n'est pas sortie de la malle, elle n'en aura pas eu besoin. Elle est partie ce matin de l'Arnaude, s'est présentée directement à son rendez-vous avec Duquenel, elle avait prévu de passer deux ou trois jours dans la région, peut être aller faire un tour vers son petit pays, peut être apercevoir des connaissances sans espérer voir un des siens, elle avait l'envie de remplir ses poumons de l'air de ses montagnes natales. La vie en a décidé autrement. Les révélations du service d'adoption sont si cruciales qu'elle a tout oublié. Mue par sa détermination maternelle, elle file aussi vite que le lui permet sa Twingo.

Il est 18 h 45 quand elle se gare dans le parc de l'hôpital psychiatrique. Elle n'a pas eu le temps de prévenir de son arrivée. Rosy sera-t-elle encore là ? Elle mise tout sur le oui et fonce vers son bureau.

***

Assise dans son fauteuil, le docteur Rosy Rubis écoute depuis une demi-heure Myriam raconter. Elle ne cherche pas à l'interrompre, elle est en mode professionnel. Myriam est hors de contrôle tout à la fois survoltée, terrorisée, passionnée, dépassée, passant des larmes au rire nerveux. Elle attend patiemment que les flammes exultent de cette petite femme transformée en dragon.

Elle écoute, attentive, analysant les nouveaux éléments rapportés parcourant les articles de journaux du regard, du lourd effectivement, cela explique la faille béante. Elle sait déjà qu'il va lui falloir plus.

Attendant que Myriam ait retrouvé un semblant de calme :

— Voilà qui me confirme beaucoup de choses, des ombres demeurent cependant, je doute que ce monsieur Duquenel puisse me fournir certaines informations. Vous a-t-il parlé d'un rapport psychiatrique ?

— Il ne m'a rien dit.

— Il y en a forcément un, pour Lola, et pour la (elle choisit ses mots) génitrice de Lola. Vous a-t-il dit ce qu'elle était devenue ?

— Non.

— Il faut que je rencontre aussi Simon, j'ai des éléments à éclaircir avec lui.

Myriam écoute, silencieuse désormais, Rosy prenant la situation en main elle se sent dépossédée, plus maître de rien.

Comme un réflexe de survie, elle intervient subitement :

— Vous m'avez demandé mon aide, vous l'avez eu, que puis-je faire maintenant ?

Rosy failli lui dire : « Plus rien, c'est mon métier maintenant », mais se ressaisit in extremis. Elle n'avait pas le droit de l'exclure, ces recherches étaient sa thérapie.

Elle prit le temps de réfléchir et regardant Myriam dans les yeux :

— Il reste encore des choses à éclaircir, la plupart sont de me mon ressort.

Myriam hocha la tête.

— L'accident mortel de voile, dernier élément déclencheur, je pense qu'il faut que je m'en occupe, les séances d'hypnose m'ont révélé des éléments que je ne suis pas en mesure de vous communiquer, secret médical.

Petit silence les yeux dans les yeux.

— Il va falloir revenir, madame Arnaud, Myriam lui lance un regard interrogateur. Revenir voir Lola. Les séances ont bien avancé, je voudrais pouvoir tester vos retrouvailles. Revenez donc à la prochaine visite des familles.

Rosy derrière sa fenêtre regardait s'éloigner la silhouette de Myriam, admirative toujours de la ressource de certaines personnes et pas toujours de celles que l'on croit les plus fortes.

« Sacré bout de femme ! » se dit-elle. « Et moi, sacré challenge. À nous deux, Simon. »

17

Clinique Saint-Saturnin

Assise à l'ombre d'un grand pin, Myriam attend patiemment.
Les pensionnaires sortent pour les visites à 14 heures. Elle n'a
plus le nœud au ventre, c'est fini, elles se sont retrouvées. Elle
est juste un peu nauséeuse avant que Lola arrive, toujours un peu
la crainte de voir son regard s'effacer et la balayer sans l'avoir
reconnue comme cela l'a été lors de petites rechutes comme les
appelle Rosy, normal, il faut du temps. Et du temps, Myriam en
a consacré ces quinze derniers jours. Ça fait partie de sa
mission : reconnecter leur rapport mère-enfant. C'est là-dessus
qu'elle met toute son énergie.

Après la visite au centre d'adoption, elle voulait continuer à
être partie prenante, mais elle a vite compris que le docteur
n'avait plus besoin d'elle et tout ce qu'elle lui avait proposé
c'était un os à ronger comme pour maintenir sa santé mentale à
elle menacée par l'inactivité. Myriam n'a pas de problème et elle
a suffisamment de force morale pour bien analyser la situation,
elle en a vite déduit que la meilleure chose qu'elle pouvait pour
sa fille c'était l'aider à retrouver sa mère et la mère de Lola
c'était elle, Myriam Arnaud.

Voilà donc quinze jours qu'elle vient lui rendre visite
quotidiennement. Elle a laissé du temps à Lola. Patiemment, elle
l'a apprivoisée, lui a imposé sa présence discrètement, au début

elle s'est contentée de la regarder passer, puis elle est parvenue à intercepter son regard. Elle a fait un grand pas quand elle a pu s'asseoir à côté d'elle, je ne sais si c'est par magnétisme ou parce qu'elles se respiraient mais ce jour-là leurs mains se sont retrouvées et ont eu du mal à se défaire.

Hier, Rosy lui a demandé de passer à son bureau avant de partir, elle lui a fait part de la bonne récupération de Lola et lui a proposé de tenter une sortie :

— Que penseriez-vous de prendre Lola pour passer deux jours chez vous ? lui a-t-elle proposé tout à trac.

Myriam un peu déboussolée s'est inquiétée.

— Vous croyez que ce n'est pas risqué ?

— Pas du tout, je vous ai observée et je pense que vous avez retrouvé vos marques toutes les deux, et puis Lola s'est stabilisée, la thérapie fonctionne très bien. Je vous propose de préparer ça et demain vous le lui proposez, si elle veut, vous partez avec elle et la ramenez lundi. C'est pas plus compliqué.

Bien à l'ombre des pins, elle regarde sa montre, plus que 5 minutes. Myriam pourra dire plus tard que la porte s'est ouverte à toute volée, que Lola est apparue rayonnante, un sourire oublié s'étirant sur son visage, qu'elle se précipita vers sa mère comme un enfant qui a eu une très belle surprise, comme le dernier jour d'école quand on sait que les vacances sont là, mais ça sera plus tard. Aujourd'hui, Lola se dirige vers elle émue, un sourire timide attaché à ses lèvres, une petite crainte au fond du regard, elle se dirige vers sa mère, leurs mains se prennent et avant de l'embrasser lui dit dans un chuchotement :

— C'est vrai, maman ? Rosy m'a dit qu'on pouvait aller à la maison ?

Myriam touchée au cœur hocha la tête en souriant, les larmes lui nouaient la gorge, c'est sa fillette qui lui parlait timide et craintive. Elle remercia intérieurement Rosy qui lui avait facilité la tâche.

— Oui, un week-end entre femmes, ça te dit ?

Elle lui prit le bras comme le font les copines, il fallait repousser l'enfant, vite elle l'entraîna vers la sortie.

Rosy derrière sa fenêtre les observa partir, espérant que son plan allait marcher et que Myriam lui rapporterait les confidences que Lola lui refusait encore.

C'était sans apprécier à leur juste valeur les secrets échangés entre mère et fille.

***

Lola assise à côté de sa mère dans la voiture regardait défiler le paysage, elle était heureuse.

Elle savait qu'elle allait de mieux en mieux, pas besoin de la psy pour le comprendre. Les drogues s'étaient évacuées de son corps, les séances avec Rosy lui apportaient un grand apaisement, elles lui permettaient aussi de mettre bout à bout ses parcelles de vie. Quand la pensée qu'elle était une criminelle arrivait, elle avait la force de la bloquer, d'ailleurs elle devait aussi parvenir à bloquer ses aveux sous hypnose car Rosy, lors des débriefs, n'avait rien évoqué.

Elle lança un regard vers sa mère, elle la sentait tendue, la pauvre, pour elle aussi ces derniers mois ont dû être terribles. Les deux mains sur le volant elle conduisait attentivement, elle s'était encore préparée avec soin, avait arrangé ses cheveux dans un joli bandeau, mis un peu de maquillage à ses yeux, un nuage de parfum qu'elle lui avait offert. Elle faisait des efforts à chacune de ses visites, elle savait très bien que sa mère était plutôt nature peinture, elle avait été sensible à ces attentions dès qu'elle avait été en mesure d'avoir de l'empathie, un grand progrès d'ailleurs, encore un pas vers la guérison lui avait fait remarquer Rosy lorsqu'elle lui racontait ses visites.

Dans le silence de sa tête comme elle savait si bien le faire, elle lui parla :

« Ça mijote dans ta tête, hein. Si ça peut te rassurer dans la mienne aussi. »

Elle chantonne, elle aura appris ça en vivant de l'intérieur, donner de la mélodie à ces moments. Les notes de la chanson de France Gall s'égrènent :

« Si maman si
Si maman si
Maman si tu voyais ma vie
Je pleure comme je ris
Si maman si
Mais mon avenir reste gris
Et le tien aussi... »

« Je sais pour papa... Rosy me l'a dit, une sacrée psy celle-là, avec quelle délicatesse elle a su m'annoncer sa disparition, je l'ai absorbée immédiatement sans grande douleur finalement. C'est vrai aussi que j'ai tant à gérer pour moi-même. »

Johnny remplace France Gall, une image chasse l'autre, les pensées se bousculent à la vitesse des sentiments.

« Oh Mathieu si tu savais tout le mal que ça me fait,
Oh Mathieu si je pouvais dans tes bras nus me reposer,
Oublier cette existence,
Toutes ces images qui dansent devant mes yeux épouvantés.
Non je n'ai pas perdu la raison, la vie est plus douce en chanson... Maman je sais désormais tant de choses sur nous, tu vois que j'avais raison, je n'étais pas folle, tu me cachais quelque

chose. Toi aussi, tu connais maintenant beaucoup de choses sur moi, je le sais, Rosy me l'a dit. J'ai compris dans ton regard, je vois que tu m'aimes autant, que tu ne me juges pas, je sais que c'est toi ma mère, la vraie. »

Myriam les mains sur le volant sent que Lola l'observe, elle fait comme si de rien n'était, elle se concentre sur sa conduite et le paysage qui défile. C'est une belle journée, tant mieux se dit-elle, le soleil rend la maison accueillante, elles pourront s'installer dans le jardin. Ce matin, elle est partie faire quelques courses, afin de préparer à Lola ses plats préférés et puis aussi lui acheter quelques cadeaux, elle aime bien faire des surprises et Lola est comme elle, ouvrir des petits paquets, des paquets bien faits comme elles les appellent entre elles, avec de jolis rubans, de jolies étiquettes, même s'il n'y a pas grand-chose dedans ça met le cœur en fête.

Sa mère vient de garer la Twingo d'une main experte qu'elle ne lui connaissait pas.

— Le temps que je récupère mes commissions dans le coffre je te laisse le soin d'ouvrir la maison lui dit-elle.

Habituée à être gérée Lola a un moment de flottement. Sa maison est à deux pas, toute pimpante, caressée par le soleil. Myriam s'attarde à récupérer ses paquets, prend son temps. *Bienvenue chez toi*, pense-t-elle. Les automatismes, ça a ça de bon, ça évite de réfléchir. Il n'aura fallu que quelques secondes à Lola : pousser le portillon, faire crisser les graviers sous ses pas, passer la main derrière les capucines, glisser la clé dans la serrure et se retrouver dans la maison. Ce qu'elle éprouva à ce moment-là l'accompagnera à son retour à la clinique, par plaisir elle revivra cet instant.

***

La Twingo blanche de Myriam passa à côté du 4x4 luxueux gris anthracite garé à quelques mètres de la maison. Simon l'avait loué pour descendre de Suisse. Impatient de parler avec sa belle-mère il s'apprêtait à ouvrir la portière pour la rejoindre lorsqu'une femme sortit du côté passager, sa femme. Il faillit ne pas la reconnaître, c'est sa démarche qui l'interpella. Elle portait une tenue sportive, plus confortable qu'esthétique, Lola tourna la tête vers sa mère, il ressentit purement et égoïstement un soulagement, elle était toujours aussi belle. Elle affichait un doux regard, un sourire timide aux lèvres qui montrait l'émotion procurée par le retour dans la maison de son enfance. Simon essuya une larme de désarroi, une autre roula sur sa joue rugueuse.

Lola n'était pas la première femme de sa vie, il l'avait cueillie à la fleur de l'âge avec la délicatesse qu'un fleuriste accorde à une fleur aussi rare que fragile. C'est ça que Simon avait aimé en premier lieu chez Lola, sa candeur, sa fragilité à bout de cœur. Mi-rebelle, mi-solitaire, il se souvient d'une jeune étudiante assoiffée de savoir et de découvertes. Lors de leurs échanges Simon l'avait séduite par son charisme, son assurance et il espère aussi par son charme. Lola l'avait bouleversé par sa beauté aussi captivante qu'énigmatique. Sans qu'ils ne s'en rendent compte, ils n'ont plus pu se passer l'un de l'autre.

Il resta quelques minutes à observer ces deux femmes dont il avait tant de fois admiré la complicité. Hésitant à aller à leur rencontre, il regretta mais s'avoua vaincu. Il ne pouvait pas débouler du jour au lendemain comme un prince charmant venant sauver sa princesse alors qu'il l'avait laissée seule, malgré lui, tout ce temps. Simon avait certainement sa responsabilité dans la descente aux enfers de Lola, madame Rubis la psychologue le lui avait, non gentiment, rappelé et il comptait bien se racheter en montrant à Lola qu'il l'aimait au-dessus de tout.

La porte de la maison se referma, laissant son imagination sur le seuil. Dans un grincement de pneu, le 4x4 démarra.

Simon allait passer la nuit dans un petit gîte qu'il avait dégoté sur internet non loin du centre psychiatrique pour être de bonne heure au rendez-vous le lendemain. Une femme rayonnante et naturelle l'y accueillit avec une chaleur déconcertante. Un brin envahissante elle teint à ce qu'il dîne avec elle, il n'eut pas le courage de refuser, force de constater qui l'avait une faim de loup ne s'étant accordé aucune pause durant le trajet. À sa surprise, il passa une agréable soirée. Son hôte avait fait la discussion à elle seule et l'avait laissé s'échapper vers 23 heures car elle voyait bien qu'il tombait de sommeil.

Le lendemain, Simon se réveilla au chant du coq de la propriétaire. Lorsqu'il sortit de la chambre, il trouva sur la table de service un somptueux petit-déjeuner qui l'attendait, croissant chaud, jus de fruits frais pressé, pain grillé prêt à être tartiné avec la confiture d'abricot du jardin, il n'avait plus qu'à se faire couler un bon café et ce serait parfait ! Simon s'attabla et prit des forces pour l'épreuve qui l'attendait plus tard dans la matinée. Ça et une bonne douche suffirent à le ravigoter.

En partant, il claqua la porte et laissa les clés dans le pot de chambre comme indiqué sur le gentil mot que lui avait laissé la propriétaire du gîte, Dolores.

À la maison des Arnaud, le week-end s'écoula doucement, gentiment, quelques larmes par ci quelques rires par là. Assise dans le salon l'une contre l'autre elles savouraient la dernière soirée un œil sur la pendule l'autre dans les albums. Lola bloqua sur une photo de Myriam et Marc jeunes, très jeunes, un ami avait dû les prendre par surprise on les voyait de dos ils étaient assis au bord d'une falaise, on voyait un lac magnifique s'étendre à leurs pieds et ils se noyaient dans les yeux l'un de l'autre. Est-ce la vue du lac ou le sentiment qui se dégageait, mais c'est ce moment-là que choisit Lola pour parler.

— Maman, tu ne sais pas tout de moi, il faut que je te parle, j'ai fait quelque chose de terrible, mais jure-moi de garder le secret.

Myriam saisit l'importance du moment, elle lui prit les mains.

— Je suis ta mère et je n'ai pas besoin de jurer.

— J'ai fait quelque chose de très mal et si j'en crois la petite qui vivait dans ma tête, c'est parce que j'ai vécu quelque chose de merveilleux dont je n'avais pas droit.

Myriam bascula sa fille sur ses genoux, et passant les doigts dans ses cheveux défaits pour l'apaiser lui dit :

— Écoute, ma chérie, des histoires mauvaises j'en ai eu mon compte, alors donne-moi plutôt du merveilleux, on en a bien besoin toutes les deux. On jugera plus tard le mal.

La pénombre envahissant la pièce, la tête posée sur les genoux de sa mère Lola raconta :

86

— Les deux commencent par la même lettre *M* de merveilleux *M* comme Mathieu. Mathieu est le meilleur ami de Simon. Je ne veux pas entendre ce que tu penses, contente-toi de m'écouter. J'en ai de suite beaucoup entendu parler, Simon ne jurant que par lui. Je l'ai rencontré quelques mois après mon installation en Suisse. Il était en déplacement à l'étranger et Simon bouillait d'impatience de nous présenter. Comment te dire, quand je l'ai vu, c'est comme si je le connaissais déjà. J'ai été dépassée par des sensations que je ne connaissais pas. Au début, nos rapports ont été un peu chaotiques, j'attendais ses visites mais quand il était là je m'éloignais. Ça faisait de la peine à Simon, il ne comprenait pas, croyait que ça ne collait pas entre nous. Je trouvais toujours des excuses pour le tenir éloigné. En fait, ça collait tellement que j'en étais mal à l'aise car Simon est mon soleil je ne supportais pas l'idée de pouvoir lui faire du mal. Alors j'ai pris sur moi, je ne pouvais pas séparer cette amitié viscérale qui les liait. Il s'est installé un équilibre, Simon était heureux. Et moi j'ai commencé à balancer entre eux. Je passais les semaines en attendant les visites de Mathieu, je me suis laissé guider par l'affection que Simon lui portait et comme lui je me suis permis de le serrer fort dans mes bras quand il arrivait. Grignotant chaque fois un peu de place au creux de son cou pour voler son odeur. Je prenais la main qu'il me tendait pour courir vers Simon. Nous nous comprenions d'un simple regard, d'un petit coup d'épaule nous nous moquions et rions comme des bossus à ses blagues. Quand il partait, mon Simon m'enlaçait dans ses bras et on le regardait s'éloigner. C'était super, me disait toujours Simon, on fait une belle équipe. Le temps a passé comme cela, et je pense qu'on y a trouvé notre bonheur. Je t'ai déjà dit qu'on se comprenait sans se parler, je pense que nous partagions les mêmes sentiments. Je vivais en équilibre entre eux deux, Simon me réchauffait de ses yeux tendres et Mathieu me brûlait avec son regard de braise. Le chaud, le froid, le cœur et le corps en équilibre. L'enfer et le paradis, qui allait l'emporter ? Le mal est arrivé à pas feutrés.

Lola s'est arrêtée de raconter, le silence s'est installé, tic-tac, tic-tac, elle écoute la pendule égrener les secondes, tic-tac, tic-tac. La voix un peu plus basse elle reprend.

— On n'aurait jamais dû partir sur le voilier sans Simon. Comment résister à ce rapprochement ? On a essayé de faire changer les dates pour que Simon parte en même temps que nous, mais tu connais Simon, c'est lui qui mène la barque, il avait tout organisé. Nous nous sommes retrouvés sur le voilier avec les enfants. Nous avons récupéré le bateau et avons commencé le cabotage. De belles vacances, il faisait un temps merveilleux, on s'amusait comme des petits fous. Baignades, plongeons, pêche… nous nous dorions au soleil sur le ponton du bateau ou dans les petites criques… nous accostions le soir dans les ports pour passer la nuit tranquille, mais surtout pour les promenades nocturnes dans les ports illuminés, nous nous gavions de glaces, et nous étions comme deux ados attardés avec les enfants. Ce n'était pas bon pour nous, trop bon. La veille de l'accident, il y avait un bon vent, Mathieu menait le bateau, lui à la barre et moi à côté assise sur la banquette. Il naviguait sportivement ça amusait les gosses. Changeant de bord souvent, je glissais et au changement de bord me retrouvais un peu plus contre lui. Je n'ai pas reculé, j'ai savouré son corps chaud et sportif contre le mien, bêtise. Nous avons lâché l'ancre dans une crique abritée, le vent se levait de plus en plus mais il faisait très beau et là nous étions bien protégés.

Lola se tut encore une fois.

— Tu vois, à partir de là, je ne me rappelle plus très bien.

Je me vois avec Mathieu, serrée fort contre lui, ma tête enveloppée par ses mains, nos yeux plongés l'un dans l'autre. Je crois que nous nous sommes embrassés.

Je vois les enfants qui nous regardent étonnés, des questions plein les yeux.

Il y a des cris.

Je vois Mathieu s'agiter et je me vois claquer la porte de leur cabine.

Je nous vois partir de la crique.

Le bateau qui gîte dangereusement dans la tempête.

Et plus rien.

Quand je reprends conscience, je suis sur le bateau des sauveteurs et je comprends que les enfants sont restés coincés dedans.

Je suis horrifiée, c'est moi qui les ai tués, j'ai bloqué le verrou.

Je suis une meurtrière, comme elle.

Les larmes coulent, Myriam a les doigts humides, se dit : « On y est ! »

Une douloureuse certitude la fait chavirer, Lola n'ira pas en prison mais parviendra-t-elle à sortir de celle de son âme ?

***

Pendant ce temps à la clinique Saint-Saturnin

Lola ne veut pas d'enfant, elle le lui a répété autant de fois qu'il insinuait l'idée d'agrandir la famille. Elle ne se sentait pas l'âme maternelle, c'était son excuse, excuse qu'il trouvait stupide et qu'elle lui rabâchait à chaque fois. Pourtant il fallait le voir pour le croire Lola redoublait d'imagination et d'amour dans la relation qu'elle avait construite avec ses enfants à lui. Il ne comprenait pas son blocage.

Aujourd'hui, il n'a plus rien, ses enfants sont morts, sa femme se reproche incompréhensiblement leur disparition et malgré le soutien de son ami Mathieu il se sent horriblement seul et impuissant. Lorsque Lola a commencé à avoir ses crises de démences, il a perdu pied. Il devait se sauver, faire son deuil avec son ex-femme. Il a cru que Lola était jalouse du rapprochement forcé avec son ex-compagne, il avait besoin d'être épaulé et Lola aussi. Il n'arrivait pas à lui apporter le soutien dont elle avait besoin. C'est pour cela qu'il lui conseilla d'aller quelques semaines chez ses parents, seulement quelques semaines le temps qu'il reprenne pied. Seulement quelques semaines, répéta-t-il, dévasté. Elle était dans des délires irrationnels et compulsifs, même Matt pourtant proche d'eux n'arrivait plus à lui parler, en a-t-il seulement eu la chance ? Il avait pourtant vécu le naufrage avec elle. Elle s'isolait en permanence. Il l'entendait sangloter et jurer des propos incohérents toute la journée. Il ne pouvait pas se reconstruire dans ces conditions.

Rosy acquiesça, elle comprenait bien sûr. Elle devait en savoir davantage, pas seulement sur l'accident dont Lola se reprochait les conséquences. Car Simon lui expliqua qu'une enquête avait été ouverte qui prouvait que la responsabilité de Lola et Matt n'était pas engagée. C'est seulement la faute à pas de chance, Simon l'a bien compris. Il a cette intelligence qui fait qu'il n'a jamais rien reproché ni à sa femme ni à son ami. La confiance fait partie intégrante de l'amour qu'il porte à ces deux êtres. Il est résigné face à ce drame et sait qu'il ne peut en vouloir qu'au destin. Ce dernier pouvant se montrer si cruel.

Simon fait partie de ces hommes réconfortants, tendres et courageux. Un homme avec lequel on peut partir au bout du monde car on sait qu'il sera l'essentiel à notre vie. Rosy comprend pourquoi Lola est tombée amoureuse. Rosy réfléchit, si cela a tourné vinaigre dans l'esprit de Lola c'est bien une autre culpabilité qui l'a engendrée, Lola confondant tout et liant tout. Simon n'a pas l'air de soupçonner quelconque trahison. Elle doit creuser.

— Pouvez-vous m'en dire plus sur votre ami Matt ? Qui est-il ? Quels sont vos rapports ? Et avec Lola ? dit-elle.

— OUI ! Parlons de Lola ! dit Simon se redressant sur sa chaise inconfortable. Jusqu'à présent, on ne parle que de moi mais je vais mieux, je tiens bon. Je suis ici pour elle, où en est sa thérapie ? Je suis bien ici pour ça, non ? dit-il aussi fermement que le mail qu'il avait reçu de Rosy quelques jours auparavant. Cette psy n'allait pas lui conter fleurette pendant cent ans se dit-il.

Rosy laissa transparaître un petit sourire en coin légèrement crispé, la thérapie progresse dit-elle. Décidément, cette famille donnait du fil à retordre, Simon remonté sur sa chaise, bras croisés, elle comprit en le regardant qu'il fallait qu'elle lui en dise un peu plus pour avoir l'espoir d'en retirer quelque chose.

Elle lui expliqua ce qu'il était en droit de savoir. L'adoption de sa femme, les antécédents psychologiques qu'elle avait dû porter durant toutes ces années. Et puis le drame dont elle avait été témoin et dont elle se reprochait là aussi la responsabilité alors qu'il n'en était rien.

Simon voulait en savoir plus, Rosy dut être plus explicite concernant le drame, il l'écouta avec une concentration aiguë.

— L'amour qu'elle porte aux autres l'a toujours sévèrement punie. Cela concerne une famille d'adoption qui a accueilli Lola avant son adoption plénière, une adoption plénière c'est…

— Je sais ce que c'est, coupa Simon. Mes parents étaient du métier.

— Très bien, cela m'évitera des explications techniques, répondit Rosy. Je disais donc que cette famille d'accueil du nom de Sauveurs a été massacrée, un foyer entier détruit par la mère génitrice de Lola. Et cette famille-là, elle l'adorait. Ce qui m'amène à déduire la relation chez Lola : AMOUR-PUNITION-MORT.

Le nom de la famille « Sauveurs » résonna dans la tête de Simon. Rosy perçut le trouble de Simon, qui ne serait pas troublé par une telle révélation lorsque cela concerne le passé d'un être cher ?

Le restant du rendez-vous, Simon répondit aux questions de Rosy sans plus de réflexion logique. Matt était un ami d'enfance. Oui, Lola et lui étaient proches, autant que peuvent l'être deux amis. Simon ne comprenait pas les allusions que la psychologue essayait d'insinuer. Le nom de la famille d'accueil, les images de ce drame étaient encore dans la tête de Simon, pas parce qu'il était choqué mais parce qu'il avait l'étrange sensation de connaître cette histoire. Il ferma les yeux quelques instants, lorsqu'il les rouvrit, c'était pour dire à Rosy qu'il acceptait de venir à la prochaine visite des familles. En une fraction de seconde, un détail, un mot, un souvenir d'enfance de Lola évoqué par Rosy, et Simon se souvint de tout.

Le rendez-vous terminé, Simon ressentit le besoin de rentrer au plus vite en Suisse. Il ne ferait pas de détour chez Myriam. Il pensait savoir comment sauver Lola.

18

Grambois

Le village commence à prendre son rythme estival. Les résidences secondaires s'ouvrent pour les ponts du printemps éveillant leur bourdonnement caractéristique, les enfants dans les jardins, les portières qui claquent un peu plus fort, l'odeur des barbecues que l'on remet en service après l'hivernage. Dolorès connaît bien ça. De son côté aussi la saison estivale commence, pour ces week-ends à rallonge elle a rempli tous les gîtes, du travail en perspective. Dolorès aime bien les gens alors elle est contente.

Vous vous doutez bien que si je vous parle de Dolorès c'est parce qu'on est un mardi et qu'elle va à la maison des Arnaud.

Elle est plus paisible maintenant quand elle y va, elle a fait le tour des lettres, pense souvent à leur histoire bien sûr, mais elle n'enfreint plus les règles puisqu'elle a tout lu et que depuis quelques jours déjà Myriam est devenue silencieuse. Bon ou mauvais signe ? Elle opte pour le bon.

Entrant dans le jardinet, elle repère immédiatement la lumière du coin bureau. Un petit toc-toc à la vitre de la cuisine attire l'attention de Myriam plongée dans son rangement. La frimousse de Dolorès collée au carreau lui sourit afin de l'avertir et de ne pas débouler impoliment dans son intimité.

Les deux femmes sont contentes de se voir, cela fait des mois qu'elles ne font que se croiser.

L'atmosphère détendue les incite à partager un petit café parlant de tout et de rien comme deux copines qu'elles sont dans le fond depuis toutes ces années.

Myriam était en train de ranger soigneusement les enveloppes de la corbeille dans une boîte à chaussures. Dolorès avec un mouvement de tête constate :

— Tu fais du rangement ?

Myriam pose un regard sur ses bouteilles à la mer comme elle les appelle et droit dans les yeux :

— Je n'en ai plus besoin, Lola va de mieux en mieux et je l'aide autrement, tout ce que j'ai écrit, Lola s'en souvient, il lui reste à découvrir une zone d'ombre pour guérir tout à fait. Mais je ne la connais pas, tu ne pourras donc pas le savoir...

Les cartes étaient jetées. Dolorès n'avait jamais joué au poker mais elle se dit que c'était sûrement comme ça la technique. Myriam est donc bien au courant pour les lettres, elle a bien pressenti. Soufflant sur son café elle maintint un peu le silence. Écartant tout sentiment de culpabilité une pointe de malice dans le regard, elle préféra une gentille riposte.

— J'ai eu la visite de ton gendre.

Attente.

— Il est descendu pour Lola, ça, c'est sûr, il avait un rendez-vous, je suppose, à la clinique.

— Tu ne l'as pas vu ?

Les bras croisés, Myriam la regarda, cachant une pointe d'énervement, Simon vient voir Lola et ne la tient pas au courant ?

Elle joua la franchise.

— Non, je ne l'ai pas vu. Mais tu sais on est tous perturbés par ce qui nous arrive et on gère un peu tout dans l'urgence.

Simon est un homme très bien s'il n'est pas venu c'est qu'il n'a pas pu ou pas eu le temps.

Dolorès continua sans prêter attention à la réponse.

— Je ne me souvenais pas bien de lui, je le voyais plus vieux. En fait, il est super, on a dîné ensemble. Je l'ai senti très triste, le pauvre, mais classe et courtois. Je lui ai trouvé le visage très creusé mais ça ne lui enlève pas sa beauté car on est bien d'accord Myriam, il est beau ton gendre. Il a des yeux profonds, et ses boucles délavées ! On dirait un surfer d'Hawaï si je passe outre sa mine grave, qui d'ailleurs contraste avec tout le reste.

Et tatati et tatata… Myriam n'écoutait plus. Cette Dolorès était magnifique mais quand elle commençait à parler c'était une catastrophe.

Subitement comme elle avait commencé elle se tut.

— Désolée, je suis une sotte indécrottable, je veux t'aider, t'apporter du réconfort et je me comporte comme une bécasse.

Se levant elle vint poser ses mains sur les épaules de Myriam dans une attitude amicale inhabituelle.

Se tenant dans son dos elle lui dit d'un trait :

— Je sais que tu sais, tu sais ce que je sais, on a toujours été copines, mais si tu veux une amie tu peux compter sur moi.

Dolorès récupéra ses affaires et sortit.

Aujourd'hui, elle ne fera pas le ménage chez les Arnaud, elle a peut-être perdu son boulot, peut-être gagné une amie.

19

Lausanne

Appuyé contre la barrière de la terrasse du chalet Simon attend. Les bras croisés le regard sur le sol, il frotte frénétiquement son pied sur les lattes de bois, scandant les pensées qui depuis hier tournent dans sa tête.

Il a roulé d'une traite et pour son plus grand regret n'a pu voir Mathieu hier soir.

Il a passé une nuit épouvantable revivant tour à tour le destin tragique de Lola, leur rencontre et leur complicité, cette relation si passionnelle qu'ils partagent, le drame du bateau qui fait perdre les pédales à sa femme. Mathieu revient aussi sans cesse, leur amitié, frères de sang comme ils disaient, et tout finit sur le trio parfait qu'ils font ensemble. L'angoisse je dirais même la panique le saisit à ce moment-là.

Ça tourneboule encore alors qu'il attend Mathieu. Pourtant quand il avait quitté la clinique il était presque heureux il avait découvert comment aider Lola, il avait percé un mystère qui entourait sa descente aux enfers. Il avait trouvé comment se porter à son secours. Il avait avalé les kilomètres, et au fil du bitume, les mots choisis par la psy : AMOUR-PUNITION-MORT, étaient venus le hanter et semer le trouble dans sa tête.

« Putain ! » lâcha-t-il, le pied rageur tapant dans un fauteuil, l'envoyant valser contre la baie vitrée.

C'est à ce moment-là que choisit Mathieu pour arriver. Tout se passa très vite.

Mathieu sortit de la voiture, sourire engageant aux lèvres. Simon se redressa de la barrière et se planta bras croisés à l'attendre.

Mathieu gravit les marches d'un pas alerte qu'il ralentit des questions dans les yeux. Simon se releva et traversa la terrasse le visage blême. Mathieu le regarda perplexe s'attendant soudain au pire, il était arrivé quelque chose à Lola. Simon avança vers lui les bras en avant. Mathieu ouvrit les bras pour accueillir son ami, qui il en était sûr était porteur de mauvaises nouvelles. En une fraction de seconde, Simon prit son élan et poussa de toutes ses forces Mathieu qui recula en perdant l'équilibre, le repoussant encore avec fureur la rage entre les dents.

— Traître, menteur…

— Arrête, tu deviens fou, qu'est-ce que tu dis, se défendit Mathieu reprenant son équilibre.

— Monsieur Mathieu Sauveurs, qu'avez-vous à dire pour votre défense ? Tu m'as bien pris pour un débile, monsieur Sauveurs, c'est comme ça que tu conçois l'amitié ?

Figé de stupeur, Mathieu laissa déverser stoïquement tout son fiel à son ami d'enfance.

Accoudés à la barrière depuis plus d'une heure, Mathieu tentait de se défendre et de répondre au mieux aux questions qui pleuvaient.

— Je ne pensais pas faire mal tu sais, la première fois que tu me l'as présentée, je ne l'ai pas reconnue, j'ai eu le sentiment bizarre de retrouver une vieille connaissance, j'étais totalement déstabilisé par les regards que nous avons échangés, elle me regardait comme si elle voyait au plus profond de moi, j'ai ressenti sa fragilité et sans en avoir conscience, une fêlure identique à la mienne. Et puis j'ai commencé à y penser, souvent son visage m'apparaissait sans crier gare, j'ai eu peur de tomber amoureux. Tu imagines aimer la femme de mon meilleur ami, un cauchemar.

Chaque fois que je vous voyais, un nouveau détail me faisait craquer, sa manière de pencher la tête quand elle parle, sa façon de tortiller une mèche de cheveux et de la mettre à sa bouche quand elle est intimidée, la manière qu'elle a de se frotter les mains quand elle est contente... je t'en citerais mille...

Puis un jour, environ un mois après son arrivée, en refaisant mon arbre à photos, tu sais celui où j'agglutine toutes les photos qui me sont chères, il y en avait tellement qu'elles se sont cassé la figure et que j'ai dû les refixer et faire un peu de tri. Ce jour-là, j'ai eu un coup au cœur, j'avais la photo de ma famille, la dernière qu'on avait prise tous ensemble, on était tous réunis autour d'un petit chat sauvage qu'on avait réussi à attraper, il y avait papa, maman, mon frère Thomas, ma sœur Lucile, moi et la petite Lola, tu sais la petite que mes parents gardaient tu sais bien... avant que... enfin tu comprends la fille de celle qui... enfin la fille de la folle qui a détruit ma famille.

J'ai été sonné, Lola, son prénom aurait pu me mettre la puce à l'oreille, mais non, penses-tu, le temps enveloppe dans de la ouate les souvenirs douloureux pour te permettre de vivre un peu heureux.

— Et quoi ? Tu voulais que je te le dise, ça aurait changé quoi ?

Que je lui dis à elle : « Hé ! tu sais, Lola, on se connaît, mes parents étaient ta famille d'accueil, quand ta mère a pété un câble, elle est venue les massacrer... »

— Non, Simon, non. Je n'en ai rien dit et raison de plus elle ne m'a pas reconnue. J'ai fait mon deuil. Pourquoi réveiller le mal ?

Simon se manifesta :

— J'accepte ton raisonnement, toutefois vu ce qu'il arrive, le mal était tapi au creux de son oreille.

Et lui aussi, des doutes subsistaient encore au creux de son oreille, il continua :

— Tu me dois d'autres explications, que s'est-il passé sur le bateau, enfin à part le naufrage qui m'a volé mes enfants, qu'est ce qui a pu faire vriller Lola ? Tu sais la psy qui la suit m'a fait comprendre que c'était un sentiment de culpabilité qui la dévastait et qui avait fait ressurgir les démons de son enfance.

Mathieu se passant la main dans les cheveux chercha dans sa mémoire des bouts de son histoire c'était douloureux mais c'était pour Lola et pour Lola il aurait donné sa vie s'il le fallait.

— Tu sais, je ne sais pas si tu te rappelles, après le massacre au Sentier des Sources, on m'a fait suivre par un psychiatre, le seul survivant, tu t'en rends compte, oui tu t'en rends compte puisque nos familles étaient amies et que j'ai atterri chez vous, et ce même psychiatre suivait Lola. Un jour qu'il me recevait il a eu un appel téléphonique, il s'était éloigné mais j'ai entendu la conversation, il parlait de Lola et disait qu'elle faisait une amnésie protectrice, elle aimait tellement notre famille, sa mère lui disait qu'on la lui volait, qu'elle ne devait pas nous aimer et elle nous a puni pour cet amour, Lola a gommé sa vie parce qu'elle se sentait responsable du massacre.

Simon s'énerva :

— On tourne en boucle là, j'imagine tout ce que tu dis mais tu ne réponds pas à ma question.

Il leva le ton.

— Que s'est-il passé pour qu'elle se sente coupable ? martela-t-il.

— Elle a rien fait, murmura Mathieu la tête basse.

— Tu ne le lui as pas dit, tu as disparu après l'accident, pourquoi ? s'emporta Simon.

— J'étais là pour toi, répondit doucement Mathieu.

— Pas pour elle…

Plein de tristesse les deux amis se turent durant de longues minutes, le jour était en train de baisser, l'ombre des sapins envahissait le jardin, la fraîcheur des montagnes les fit frissonner, Simon n'invita pas Mathieu à entrer.

Il l'invita plutôt à partir sur ces paroles :

— Lola est toute ma vie, toute la tienne peut-être aussi, je l'aime d'un amour profond, toi tu ne sais peut-être pas comment tu l'aimes. Je suis prêt à la perdre pour qu'elle soit heureuse. Je sais que tu ne me dis pas tout, alors va la voir, dis-lui ce qu'elle doit entendre et même ce qu'elle veut entendre.

Quelle que soit l'issue, je serai toujours ton ami, Mathieu.

Mais par pitié, sauve-la.

***

Pendant ce temps à la clinique Saint-Saturnin

— Oui, oui, et encore oui, arrêtez de me harceler. Je suis d'accord avec vous, nous devons envisager sa sortie, sa place n'est plus ici. Mais de grâce, laissez-moi la préparer, on ne sort pas de psychiatrie après 6 mois d'internement sans paliers, ce serait pure folie.

Je veux autant que vous qu'elle guérisse, mais ne perdez jamais de vue que votre fille est fragile et qu'une récidive n'est jamais exclue.

Myriam se sentait réprimandée comme une enfant, mais elle ne lâcherait pas le morceau, tout ce cirque avait assez duré et un retour à la maison ne pouvait lui être que bénéfique, leur week-end en était la preuve, Rosy ne pouvait pas nier les bienfaits qu'en avait retiré Lola.

— Voilà comment nous allons procéder, encore une sortie sur un week-end, si tout se passe à l'identique, nous ferons une semaine complète et le bilan décidera de sa sortie définitive mais…

Rosy semblait ennuyée tout d'un coup, elle tournicotait sur son siège pivotant regardant à travers la vitre.

— Lola a un mari, vous semblez l'oublier, si la sortie progressive est adaptée à chez vous par votre proximité il n'en sera pas de même en cas de sortie définitive.

Cette constatation déstabilisa Myriam, elle n'avait pas pensé à cette éventualité. Une seule pensée l'habitait depuis leur week-end si tendre, elle allait récupérer sa fille et tout redeviendrait comme avant. Naïve ! Stupide ! Ma pauvre, se dit-elle tu rêvais éveillée ce n'est pas possible !

Pause, Myriam semblant réfléchir aux propos de la psy, répondit, l'air très inspiré d'un professeur analysant une situation critique.

— Bien sûr, bien sûr, vous avez raison il faut y aller doucement.

La situation pour le moins cocasse provoqua un franc éclat de rire de Rosy.

— Je vous adore, vous êtes ma perle de la journée !

Retrouvant difficilement son sérieux, des larmes souriantes plein les yeux.

— Allez, rentrez chez vous, et soyez heureuse, vous avez retrouvé votre fille, c'est pas beau ça ? Pour le reste, vous le savez bien, une maman, c'est fait pour apprendre à voler.

En rentrant chez elle, Myriam ne garda que quelques mots de cet entretien, des mots qui lui réchauffaient le cœur, maman un jour maman toujours.

***

« Oublie tout, ne rêve pas. Mais regarde autour de toi. Les gens ne vivent pas comme ça Lola ! » Elle chantait depuis le matin « Lola », un tube d'Allan Theo, pop star des années de son adolescence. Elle avait retrouvé son walkman dans sa chambre d'ado, l'avait rapporté à la clinique et depuis l'écoutait jusqu'à tomber sur cette chanson qui lui rappelait son enfance et le sentiment déjà d'être différente des autres.

Ces dernières semaines, elle avait fait d'énormes progrès. Depuis la découverte de son passé, Lola avait apprivoisé cette petite fille égarée. Elles se comprenaient et aujourd'hui grâce aux séances d'hypnose ne faisaient plus qu'une. Des souvenirs encore un peu flous refaisaient apparition dans la mémoire de Lola. Ils étaient lourds de culpabilité mais elle les accueillit mieux que ce qu'elle pensait.

Rosy en passant dans le couloir aperçut Lola danser dans sa chambre. Elle bougeait de tout son corps, les bras en l'air traversant les airs. Son corps ondulait au rythme de la chanson que seule Lola entendait. Lola yeux fermés, remuait et Rosy pour la première fois perçut une jeune femme désinvolte, heureuse de vivre. Lorsque Lola ouvrit les yeux, ils étaient noirs de chagrin et Rosy avait disparu.

Rosy cherchait à comprendre encore et encore la raison, l'évènement déclencheur provoquant les crises dépressives de Lola. Mais cette dernière lui en refusait désormais l'accès pendant les séances d'hypnose.

Lola réclamait depuis peu sa « liberté », elle voulait rentrer chez elle. Rosy était sur le point d'accepter, encore fallait-il mettre au point un suivi régulier. Il n'était pas question de la lâcher comme ça.

Simon était venu, Lola le savait mais n'avait rien demandé. Pourtant Rosy lui avait raconté leur entretien. Lola avait reconnu son mari. Elle lui avait décrit une personne sincère, intègre. Simon était la droiture incarnée, rien ni personne ne pouvait le faire dévier de sa ligne de conduite. Lorsqu'il accordait son amour, c'était pour toujours. Lola l'aimait de tout son être mais était pleine d'aspérités et le regrettait.

La journée des familles était prévue le lendemain, Rosy prendrait sa décision à l'issue.

À quatre heures d'ici une voiture noire démarra en direction de la clinique Saint-Saturnin.

***

20

Clinique Saint-Saturnin

Il a dormi dans sa voiture sur le parking de la clinique, il est arrivé hier soir très tard et n'a pas eu envie de chercher un gîte pour la nuit. Ce matin, il le regrette, il a la bouche pâteuse, le dos cassé en deux. Il aurait bien besoin d'une bonne douche et d'un bon café.

Il sort de la voiture dans l'idée de faire quelques pas pour se dégourdir les jambes. De sa poche, il sort une cigarette qu'il a grattée à un patron d'une pompe à essence sur le chemin. Il n'a jamais fumé, il l'allume en se posant sur le capot de la voiture et commence à tirer dessus. La fumée s'infiltrant peu à peu dans sa gorge, ses veines, son sang, il observe les gens rentrer et sortir. Il identifie d'un regard les personnes qui travaillent là où les gens de passage pour une visite comme lui aujourd'hui. Lorsqu'il l'imagine à quelques mètres de lui, son cœur s'engorge d'impatience et d'inquiétude. Il ne sait pas encore comment il va s'y prendre.

En entrant dans le bâtiment, il se mit à la recherche des toilettes. Une gentille dame les lui indiqua juste à sa droite, un coup d'eau froide sur le visage lui donna un coup de peps, ses cheveux en bataille comme à son habitude, il se regarda dans la glace, respirant profondément, le regard grave il ne pouvait plus attendre. Mathieu était un impulsif, a contrario de son ami Simon il parlait et réfléchissait après à part ces derniers mois où il devait se l'avouer il n'était plus lui-même.

À l'accueil, une machine à café lui tendait les bras, il gaspilla une pièce sachant la piètre qualité du café qu'il allait boire, pas grave. Il s'assit un instant attendant son tour. Tout en buvant son esprit s'échappa, il était dans sa maison des Sentiers des Sources, il revoyait cette petite fille, du même âge que lui admirative devant son grand frère Thomas. Il se souvient de les avoir jalousement surpris en train d'échanger un regard complice, un doux baiser sur des joues encore trop jeunes. Tandis que lui crevait déjà d'amour pour elle. Un jour comme celui-là, toute sa famille est morte. Mathieu secoua la tête, ce n'était pas tout à fait vrai et il regrettait de ne pas se l'être avoué plutôt.

Une sonnerie indiqua que c'était son tour, on lui demanda son identité et la personne qu'il venait voir, il déclina Simon le mari de Lola Arnaud. Comme lui avait demandé plus tôt son ami, il se fit passer pour lui pour pouvoir avoir l'autorisation de la voir. Le souffle court que l'on s'aperçoive de son mensonge et qu'on l'empêche de la voir. Il fut soulagé lorsqu'on lui expliqua le déroulement de la visite. Simon n'étant venu qu'une seule fois, personne ne s'aperçut de rien à part Rosy mais trop tard, il était déjà face à Lola lorsque celle-ci s'en rendit compte, elle ne pouvait plus intervenir.

***

Mathieu s'approcha lentement, Lola le vit dès son premier pas dans le jardin, elle faillit faire demi-tour mais son regard l'aimanta comme à son habitude. Elle prit le chemin le plus éloigné pour le rejoindre. Elle voulait le regarder, le manger des yeux, se l'approprier, l'aimer une dernière fois peut-être.

Elle n'avait pas ses écouteurs pourtant elle entendait le chanteur Yodelice fredonner « talk to me… » Mathieu aussi l'entendait… ils avaient tant de fois écouté cette chanson lors de leurs soirées au coin du feu ou à la belle étoile que, sans qu'ils se le disent, c'était devenue leur chanson. Talk to me, parle-moi, aujourd'hui plus encore leurs regards l'imploraient. Ils le savaient, ils devaient se parler, tout s'avouer…

Mathieu tendit une main à Lola, il était triste de voir qu'à chaque drame de leur vie ils avaient été l'un avec l'autre sans le savoir ou s'en souvenir, quelle ironie. L'amour rapproche parfois deux êtres, eux se sont les tragédies.

Lola lova sa joue dans la main tendue de Mathieu, 60 centimètres 80 tout au plus les sépareraient mais elle sentait son odeur, cette force surnaturelle qui l'attirait à lui comme un aimant. Elle ferma les yeux un instant, se laissant apprécier ce doux moment que provoquent parfois les retrouvailles. Lorsqu'elle rouvrit les yeux, Mathieu la regardait souriant les yeux trempés de larmes, elle ne savait pas si c'était de joie ou de tristesse. Ils ne s'étaient pas revus depuis l'accident.

Il s'assit dans l'herbe comme un gamin trop fatigué après avoir joué au foot. En écartant ses jambes, il l'invita d'un regard à s'asseoir contre lui comme le font des amoureux. Pour Mathieu c'était la seule façon de pouvoir lui parler, dans cette position il la sentirait, la toucherait peut-être mais au moins il ne verrait pas ses yeux, ceux qu'il a reconnus il y a quelques mois sur cette photo de famille. Ces yeux qui l'ont tourmenté petit, poursuivi adolescent et retrouvé homme.

Il laissa cette douce mélodie, mélancolique et demandeuse se terminer puis comme à son habitude il parla sans plus réfléchir.

L'heure des visites terminée, personne ne vient briser leur bulle. Rosy de temps en temps, de loin, venait guetter sans savoir ce qu'ils se disaient, elle comprenait que le destin de Lola bon ou mauvais se tenait en face d'elle. Tantôt en train de rire, tantôt secouée de sanglots elle voyait les épaules de Lola se redresser petit à petit. Le poids de la culpabilité se dissiper peu à peu au fur et à mesure que cet homme parlait à Lola.

Sans délicatesse ni amertume, Mathieu lui parla.

— C'est moi. Sais-tu qui je suis ?

Elle sourit narquoisement :

— Je sais encore qui tu es Mathieu, je n'ai pas complètement perdu la tête.

— Non, c'est moi, répéta Mathieu gravement, je suis Mathieu Sauveurs le petit frère de Thomas.

Lola eut un mouvement de recul, le regarda en coin un instant et d'un bloc les souvenirs refirent surface. Elle se revit courir après Thomas autour d'un joli petit lac, Mathieu à ses trousses, légèrement plus petit en taille qu'elle à cette époque, déjà tout échevelé.

Une main à sa bouche, Lola empêcha un cri de douleur de s'échapper de son corps fragile. Elle se courba de douleur. Mathieu en l'enlaçant, la berçant, lui dit, oh combien elle n'était responsable en rien de ce qu'il leur était arrivé. Qu'elle ne pouvait pas se condamner d'avoir trop aimé. Aimer passionnément, amoureusement, fraternellement, fougueusement, tant que l'on parle de sentiment ce n'est finalement que de l'amour même si parfois il faut se battre contre des démons pour le laisser s'échafauder.

— Lola, tu n'es pas responsable de la disparition de ma famille, ta mère était devenue folle. Toi aussi tu as été une victime de cette femme qui n'a pas su t'aimer. Nous ne sommes en rien responsables de la mort de Lucile et Timéo.

Lola se redressa et en le regardant :

— Mais si, s'il ne m'avait pas vu t'embrasser, je ne n'aurais pas eu à les renfermer dans la cabine dit-elle.

— Lola, j'aurai adoré mais on ne s'est jamais embrassé. Tu étais juste dans mes bras, ce n'était pas si inhabituel, cela pouvait être seulement un geste d'amitié où seul Simon manquait à cette embrassade.

— Mais pourquoi je les ai enfermés alors ?

— Tu n'as rien enfermé du tout, ils étaient partis bouder ! Je les ai envoyés bouler dans la cabine, le mauvais temps arrivait, il fallait qu'on se bouge.

Lola se rassoit et se remet instinctivement dans les bras de Mathieu. Elle reste ainsi longtemps sans parler, ses dernières zones d'ombres s'estompent et les tourments de ces derniers mois se diluent. Elle se sent enfin bien.

Se relever avec lui c'est ce que Mathieu aujourd'hui lui propose. Il aimerait ne pas lui laisser le choix et l'enlever pour partir loin. Mais avec Simon ils l'aimaient, chacun à leur façon mais tous deux avec une intensité que peu de personnes ont la chance de connaître. C'est à elle, pour une fois sans craindre une tragédie, de choisir. Il ne s'imposerait pas mais il faut qu'elle sache que quelque chose a changé dans son âme le jour où il l'a revue au bras de Simon.

— Petit mon frère Thomas m'a devancé mais je t'aimais, dit-il la voix enrouée de sanglots que l'on retient avec force et dignité. Demain tu choisiras peut-être Simon, mais je ne te tiendrais aucune rancœur.

Mathieu ne laissa pas le temps à Lola de répondre. Il l'embrassa sur le sommet de son crâne, libéra délicatement Lola de son emprise et partit seul avec son amour pour Lola.

Lola se releva, plus légère que trois heures auparavant. Elle avait l'impression d'avoir grandi de cinq centimètres. Elle ne rattrapa pas Mathieu. Elle devait se laisser un peu de temps.

21

Grambois, maison des Arnaud

Deux mois plus tard

Lola a retrouvé ses habitudes, la vie à l'Arnaude est paisible, elle avait besoin de cette tranquillité. Elle a fait sa résilience, pardonné à sa génitrice son amour assassin, retrouvé sa mère leur complicité, leurs petites habitudes.

Elle n'a pas voulu rentrer en Suisse, besoin de faire le point... Faire le tri dans ses souvenirs... son cœur, faire un choix.

Elle reprend pied dans la vie, elle marche beaucoup ça l'aide à retrouver une condition physique, la plupart du temps elle part seule elle ne veut pas se laisser grignoter sa liberté. Elle prend beaucoup de plaisir à fouler les petits chemins dans les forêts de pins et de chênes verts se laissant aller à cueillir deci delà des plantes aromatiques. Elle rentre toujours avec un bouquet qu'elle met à sécher sous la tonnelle.

Les petits goûters sont devenus sacrés, ils ont remplacé les séances de Rosy. Sa mère et Dolorès ont instauré la thérapie. Contre toute attente, ces deux-là sont devenues très proches, elles jacassent autour de Lola, laissant celle-ci dans ses pensées troubles.

C'est un après-midi comme ceux-là que Lola a pris sa décision.

Elles étaient installées toutes les trois sur la terrasse savourant la douce baisse du soleil, l'odeur des Canestrelli que sa mère avec préparés les enrobant de douceur, le thé au jasmin chatouillant ses narines Lola avait enfin parlé à ces deux femmes gourmandes et attentionnées qui n'attendaient que cela depuis des jours, échangeant en cachette un regard lourd de sous-entendus et d'impatience, elles écoutèrent et laissèrent Lola se débattre avec ses sentiments.

22

Lausanne

Au volant de la Twingo de sa mère, Lola a pris la route des montagnes suisses, l'angoisse ne la quitte pas car là-bas attendent les deux hommes de sa vie.

Deux petites enveloppes reposent au fond de son sac. Son choix est fait.

Sa première visite est pour son mari, il lui tarde de le revoir, elle a une chance exceptionnelle peu d'homme sont capables d'autant d'abnégation en amour.

Elle arrive devant le chalet en milieu d'après-midi, il n'est pas encore rentré, elle va lui faire la surprise. Elle pose son tout petit sac et déambule chez eux, effleurant les bibelots qu'ils ont glanés ensemble, s'attardant sur des photos accrochées par ci par là égrenant la vie merveilleuse qu'ils ont partagée, comment aurait-elle pu mettre tout ceci à la poubelle. Dans le bureau de Simon, elle sourit à son rangement méticuleux, comme dans sa vie Simon ne laisse rien au hasard. Elle arrive dans leur chambre prise d'une impatience soudaine, elle se jette sur le lit douillet la tête enfouie dans son oreiller, elle respire son odeur à pleins poumons, il lui a tellement manqué. Baignée dans cette ambiance ouateuse, elle lâche les amarres et s'assoupit doucement.

C'est ainsi que Simon la découvre.

Il a repéré la Twingo sitôt au bas de son chemin le cœur battant d'appréhension il s'est dépêché comme un gamin.

À coup de petits baisers il éveille son corps tendrement lové dans l'édredon, Lola tarde à ouvrir les yeux elle laisse son merveilleux amant reprendre possession de son corps, faire durer cet instant… pas besoin de parler, leurs lèvres se trouvent par instinct, leurs doigts s'enlacent précédant leurs corps impatients…

Sonné par leurs ébats passionnés, apaisé par la présence du corps chaud de Lola, Simon a tout donné et s'est endormi la bouche collée à son épaule dans un baiser immobile.

Lola repose les yeux grands ouverts, elle se faufile délicatement hors du lit.

Sans un bruit, elle sort une enveloppe de son sac et la pose sur son oreiller encore tout chaud.

***

Mathieu attend Lola, il a reçu un SMS : « J'arrive. »

Le cœur battant, il a fermé son portable. Lola a donc fait son choix. Il ne sait pas s'il doit se réjouir de sa venue ou s'attendre au pire.

Il entend la Twingo avant de la voir, regarde Lola se garer devant son immeuble. C'est la première fois qu'elle vient chez lui seule, est-ce bon signe ? Il la regarde s'avancer et en a le souffle coupé, légèrement échevelée les joues rosies par la chaleur du voyage il perçoit en elle cette fébrilité qui le fait tant vibrer. Il a peur et mal car il est certain qu'elle vient lui annoncer que Simon est et restera son homme. Aussi c'est un Mathieu tendu qui ouvre la porte.

Lola, devant lui avec un sourire éclatant, pose immédiatement un doigt sur ses lèvres lui intimant le silence. Elle fait ce dont elle a toujours rêvé, elle enfouit sa tête dans son cou et enroule ses bras autour de ce torse tant convoité… Sans plus aucune retenue son corps se plaque contre Mathieu demandant silencieusement tout et tout de suite. La surprise s'envole vite le cerveau, de Mathieu se débride des doutes qui l'enlisaient. Lola s'offre à lui et il la cueille avec violence. C'est l'union parfaite, celle de deux âmes sœurs qui se trouvent, les gestes de l'un anticipant les désirs de l'autre, ils ne font plus qu'un et ils s'aiment avec l'ardeur du désespoir. Aucune parcelle de leur corps ne sera oubliée, ils veulent tout et tout de suite de peur de se perdre à nouveau. Ils font l'amour sans explications et ne partagent que soupirs et respirations. Il s'endort, épuisé par tant de bonheur dans ses bras. Lola restera longtemps immobile le couvrant de doux baisers, être avec Mathieu était encore mieux qu'elle ne l'avait rêvé.

La nuit était tombée, il fallait qu'elle y aille. Elle se glissa tout doucement hors du lit, récupéra l'enveloppe dans son sac et la posa sur la table basse.

La Twingo fila dans la nuit.

Lola roulait déjà depuis une heure quand Simon tapa à la porte de Mathieu. Celui-ci lui ouvrit, la mine défaite, ils tenaient dans leurs mains la lettre de Lola.

Lola, bien calée, laissait filer la voiture sur l'autoroute, la chanson de Vanessa Paradis emplissait l'espace, dis-lui, toi, que je t'aime… je n'aimerais pas le blesser… je ne sais pas ce que tu dois faire pour être le seul double de moi… toujours le même dilemme… vers le Never More jamais, à tout jamais.

Elle glissa une main douce sur le bas de son ventre, pleine de certitude… la voix de Vanessa entonnant : « C'est toi que j'aime pour de vrai. »